KB152176

혈관검사 매뉴얼

Vascular Examination Practical Manual

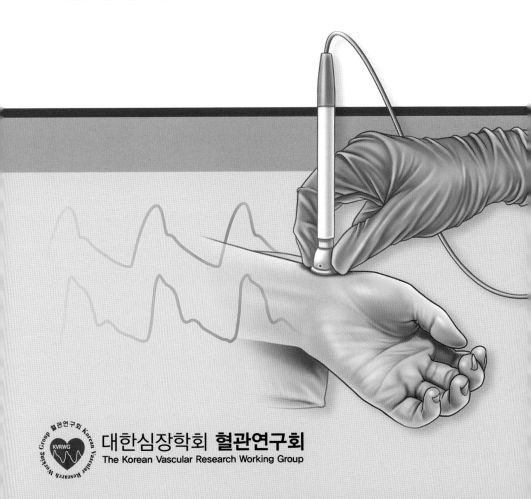

대한심장학회 **혈관연구회**
The Korean Vascular Research Working Group

KVRWG 혈관연구회 Korean Vascular Research Working Group

혈관검사 매뉴얼

Vascular Examination Practical Manual

첫째판 1쇄 인쇄 | 2020년 12월 25일
첫째판 1쇄 발행 | 2021년 1월 1일

지 은 이 대한심장학회 혈관연구회
발 행 인 장주연
출 판 기 획 김도성
책 임 편 집 안경희
편집디자인 조원배
표지디자인 김재욱
일 러 스 트 유시연
제 작 담 당 신상현
발 행 처 군자출판사(주)
　　　　　　등록 제4-139호(1991. 6. 24)
　　　　　　본사 (10881) **파주출판단지** 경기도 파주시 회동길 338(서패동 474-1)
　　　　　　전화 (031) 943-1888　　　팩스 (031) 955-9545
　　　　　　홈페이지 | www.koonja.co.kr

ISBN 979-11-5955-626-5

정가 35,000원

혈관검사 매뉴얼

Vascular Examination
Practical Manual

대한심장학회 혈관연구회 임원진

회장	하 종 원	연세의대
부회장	정 해 억	가톨릭의대
총무	손 일 석	경희의대
정책	강 웅 철	가천의대
학술	이 해 영	서울의대
교육	심 지 영	연세의대
연구	조 은 주	가톨릭의대
정보	유 승 기	을지의대
재무	임 상 현	가톨릭의대
홍보	박 재 형	충남의대
보험	김 주 한	전남의대
국제교류	박 성 하	연세의대
간행	김 성 환	고려의대
감사	제 세 영	서울시립대
	편 욱 범	이화의대
Industry partners committee	김 장 영	연세원주의대
의공학분과위원회	성 학 준	연세의대
혈관외과분과위원회	주 석 중	울산의대
기획	신 의 철	카이스트

집필진

강 시 혁	서울의대	유 승 기	을지의대
김 성 애	한림의대	이 선 기	한림의대
김 인 철	계명의대	이 찬 주	연세의대
김 주 한	전남의대	이 해 영	서울의대
박 상 민	을지의대	이 희 선	서울의대
박 성 하	연세의대	임 상 현	가톨릭의대
박 재 형	충남의대	정 해 억	가톨릭의대
박 진 선	아주의대	정 혜 문	경희의대
성 기 철	성균관의대	조 은 주	가톨릭의대
손 일 석	경희의대	최 재 혁	한림의대
심 지 영	연세의대	하 종 원	연세의대

혈관검사 매뉴얼 〈Vascular Examination Practical Manual〉을 펴내며

대한심장학회 혈관연구회는 혈관의 특성에 대한 연구와 학술교류를 목적으로 2005년 3월에 창립되었습니다. 지난 15년동안 다양한 분야의 혈관 전문가들이 모여서 학술활동을 하면서 궁극적으로는 혈관의 건강을 지키고 혈관에 발생하는 질병을 조기 진단하고 치료하고자 노력하여 왔습니다. 특히 최근에는 동맥뿐 아니라 상대적으로 학문적 관심이 적었던 정맥, 모세혈관, 임파관 등에 대해서도 연구의 필요성이 대두되면서 대한심장학회 혈관연구회에서는 다양한 프로그램의 심포지엄을 구성하여 전체적인 혈관을 망라하며 연구회 활동을 확장하여 왔습니다.

혈관 연구회는 2009년 1월, 혈관에 대해 공부하는 이들을 위한 입문서로 "임상혈관학"을 처음으로 발간하였으며, 2016년 1월에는 혈관연구회 발족 10년을 기념하고 혈관에 대한 더욱 심화된 지식을 공유하고자 "혈관학 교과서"를 발간한 바 있습니다. 이번 "혈관검사 매뉴얼"은 우리 연구회에서 세 번째로 발간하는 책으로 과거 발간하였던 교과서와 달리 실제 임상현장에서 다양한 혈관검사를 실제로 시행하고, 또한 검사결과를 해석하고 임상에 적용하는 과정에서 필요한 실질적인 내용과 정보를 담아내고자 하였으며, 특히 이 혈관검사 매뉴얼은 혈관검사를 시행하는 모든 분들이 임상현장에서 곁에 두고 필요시 참조할 수 있는 참고서가 되기를 바라면서 제작을 하게 되었습니다.

이번 '혈관검사 매뉴얼'이 다양한 혈관검사와 임상에서 활발히 이용되고 참고가 되길 바라며, 이런 노력과 결실로 우리 혈관연구회가 더욱 발전할 수 있기를 기대합니다. 오랜 기간에 걸쳐 온 힘을 다해 애써주신 편집장 이하 집필진 여러분들께 큰 박수와 깊은 감사를 드립니다.

감사합니다.

2021년 1월
대한심장학회 혈관연구회 회장 하 종 원

CONTENTS 목차

맥파전달속도와 발목상완지수

Pulse Wave Velocity and Ankle Brachial Index

서울의대 **강시혁** / 서울의대 **이해영**

맥파전달속도와 발목상완지수

Pulse Wave Velocity and Ankle Brachial Index

서울의대 **강시혁** / 서울의대 **이해영**

I. 개요

맥파전달속도(pulse wave velocity, PWV)는 혈관경직도(arterial stiffness)를 평가하는 검사 방법이다. 심장과 혈관으로 구성된 순환계(circulatory system)는 우리 몸 구석구석으로 혈액을 보내기 위한 최적의 구조를 가지고 있다. 근육세포로 이루어져 있는 심장은 수축(systole)과 이완(diastole)을 반복하며 혈액을 내보내게 되는데, 이와 같은 혈액 전달을 맥파(脈波, pulse wave)라고 부른다.

심장의 주기에 따른 맥파를 온 몸으로 전달해주는 역할은 혈관이 담당한다. 혈관은 단순히 수로처럼 혈액이 흐르는 도관(conduit)의 역할을 할 뿐만 아니라, 탄성을 가지고 있어 혈관의 내경이 커졌다 작아졌다 하면서 압력을 완충하는 쿠션역할도 한다. 이 때문에 압력의 파형(waveform)은 대동맥에서부터 말초로 가면서 모양이 변하게 된다.

이와 같은 파형의 변화를 정량화한 비침습적 검사 방법이 바로 맥파전달속도(pulse wave velocity, PWV)이다(**그림 1-1**). 젊고 건강한 사람의 경우 혈관의 탄성이 좋고 경직도는 낮은 반면, 노화가 진행하고 혈관이 탄성을 잃게 되면 경직도는 증가하게 된다. 혈관의 탄성이 좋고 경직도가 낮으면 맥파가 혈관을 따라 전달되는 속도는 느려지게 된다. 반면, 혈관의 탄성이 떨어지고 경직도가 증가하는 경우 맥파의 속도는 상대적으로 빨라지게 된다.

3

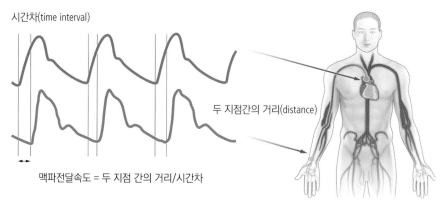

■ 그림 1-1. 맥파전달속도(pulse wave velocity, PWV)

파형증가 지수(augmentation index)도 맥파 분석을 통해 혈관경직도를 평가하는 방법 중 하나이다. 혈관의 탄성으로 인해 파동은 정방향으로 진행할 뿐 아니라, 반대방향으로도 발생한다는 데에서 착안한 측정치이다(2장 참조).

동맥경직도는 혈관 기능과 밀접한 관계를 가지고 있다. 최근 동맥경직도가 심혈관질환 발생을 예측하는 지표로 활용될 수 있다는 연구 결과가 쌓이면서 PWV 검사에 대한 관심이 높아지고 있다.

II. 검사의 적응증과 임상적의미

PWV 검사는 고혈압 환자에서 무증상 표적 장기 손상을 평가하기 위해 널리 시행하는 검사 방법 중 하나이다. 동맥경직도 검사 결과가 진단에 쓰이거나 직접적인 치료의 대상이 되는 것은 아니다. 2017년 유럽 고혈압 진료지침에 따르면 PWV가 동맥경화에 동반된 동맥경직도를 평가하여 고혈압성 표적장기손상을 평가하는 검사 방법 중 하나로 제시되고 있다(Class of recommendation: IIb). 다만 검사자 간 재현성이 다소 낮고, 임상에서도 활용도가 높지 않아 모든 고혈압 환자에서 검사를 시행하는 것은 추천하고 있지 않다. 2018년 대한고혈압학회 진료지침에서는 고혈압 환자의 기본검사에 추가할 만한 추천 검사로 PWV를 제시하고 있다.

PWV 검사는 다음과 같은 임상적인 의미를 갖는다. 첫째, 심혈관질환의 발생 위험도를 예측할 수 있다. 동맥경직도가 증가한 환자는 향후 심혈관질환 발생의 위험이 높으므로, 심혈관질환 위험인자를 적극적으로 조절하는 것이 추천된다. 둘째, 심혈관질환 위험이 높은 환자에서 치료의 효과를 판단하는 데 도움이 된다. 고혈압 환자에서 적절한 약물 치료를 통해 통해 PWV 값이 개선된다는 것이 연구를 통해 증명되어 있다. 하지만 PWV를 개선시켰을 때 환자의 장기 예후도 개선된다는 연구 결과는 아직 부족한 것이 사실이다.

III. 검사 전 준비

① 편안한 온도로 설정된 조용한 검사실에서 시행하는 것이 좋다.
② 검사 전 10분 이상 편하게 누운 자세로 휴식을 취한다.
③ 검사 전 3시간 동안 식사, 커피, 흡연은 피한다.
④ 검사 중 말을 하거나, 잠이 드는 경우 검사 결과가 부정확하게 나올 수 있다.
⑤ 호흡에 따라 검사 결과의 변동이 있을 수 있어 적어도 5-6초 동안은 검사를 시행해야 한다.
⑥ 하루 중 측정 시간에 따라 검사 결과가 달라질 수 있어, 같은 시간대에 2-3차례 검사를 반복하면 더 정확한 측정값을 얻을 수 있다.
⑦ 두 번 측정하여 평균을 이용하면 더 정확한 값을 얻을 수 있다. 두 측정값이 0.5 m/s 이상 차이나는 경우 한번 더 검사를 시행하여 세가지 값의 중간값(median)을 사용한다.
⑧ 진료실에서는 백의효과(white coat effect)가 있을 수 있으므로 해석에 주의를 요한다.
⑨ 다음과 같은 경우 부정확한 carotid-femoral PWV (cfPWV) 값을 얻게 될 수 있다: 부정맥, 임상적으로 불안정한 상황, 경동맥 협착, 경동맥동증후군(carotid sinus syndrome)

IV. 검사 방법

널리 쓰이는 PWV 측정 방법으로는 carotid-femoral PWV (cfPWV)와 brachial-ankle PWV (baPWV)가 있다. 미국과 유럽에서는 cfPWV가 많이 쓰이고 있고 연구 결과도 많이 축적되어 있다. 하지만 우리나라와 일본에서는 현재 baPWV가 널리 쓰이고 있어 여기에서는 baPWV를 중심으로 기술하도록 하겠다. 참고로 아래에 기술된 검사 기기는 Omron 사의 VP-1000 이다.

1. 적절한 크기의 cuff를 선택한다.
   1) Size M: 상완둘레 20-32 cm
   2) Size L: 상완둘레 30-38 cm
   3) Size S: 상완둘레 16-25 cm
2. 환자가 천장을 보도록 눕게 하고, 상완을 노출시킨다. 상완에 압력이 가해지면 검사 결과가 부정확할 수 있으므로, 상의를 벗거나 조이지 않는 얇은 옷으로 갈아입는 것이 좋

다(A).

3. 상완의 cuff를 감는다. "Artery position" 표시가 상완의 안쪽에 오도록 감는다. 커프의 하단이 팔꿈치에서 1-2 cm 정도 위에 위치하도록 한다(B).

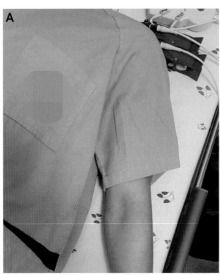 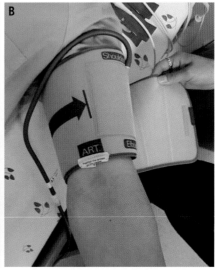

4. 발목 cuff를 감는다. Cuff의 하단이 안쪽 발목뼈 바로 위에 위치하도록 한다. 발목 쪽 cuff (ankle side)를 먼저 감고, 이어서 다리쪽 cuff (calf side)를 감는다.

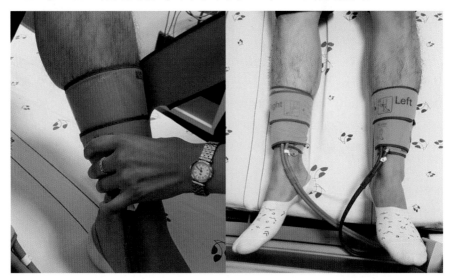

5. 심전도(electrocardiogram, ECG) 전극을 양쪽 손목에 부착한다.

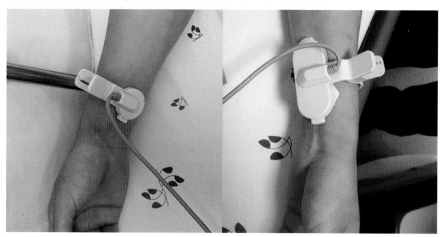

6. 심음도(phonocardiogram, PCG) 센서 패드를 가슴에 위치시킨다. 소리가 가장 잘 들리는 곳을 찾는다(화면에 "PCG: OK"라는 문구가 표시된다). ① 네 번째 갈비뼈와 흉골이 만나는 위치가 측정에 유리한 위치이다. 때로는 ② 세 번째 갈비뼈 높이의 중간 위치나, ③ 두 번째 갈비뼈가 흉골과 만나는 위치가 적절한 경우도 있다.

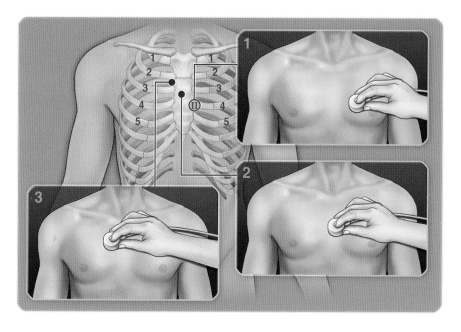

7. PCG가 잘 측정되지 않으면 PCG sensor weight를 올리면 도움이 된다.

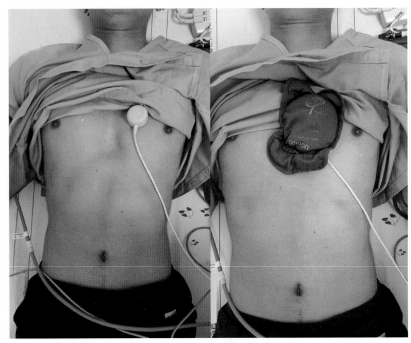

8. (병원 프로토콜에 따라) cfPWV를 측정하는 경우 경동맥(carotid artery)과 대퇴동맥(femoral artery)을 촉지하여 경동맥 파동센서(carotid arterial pulse sensor, CAP)와 대퇴동맥 파동센서(femoral arterial pulse sensor, FAP)를 적절한 위치에 놓는다.

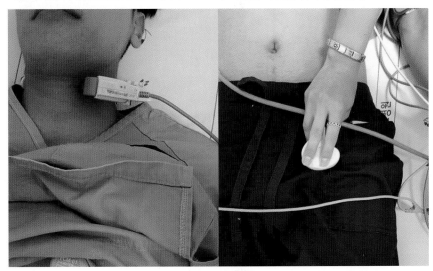

9. 기기의 사용법에 따라 검사를 수행한다.

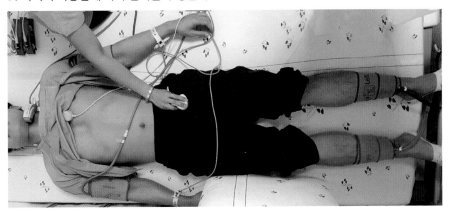

V. 검사결과의 보고(실제 Report의 sample)

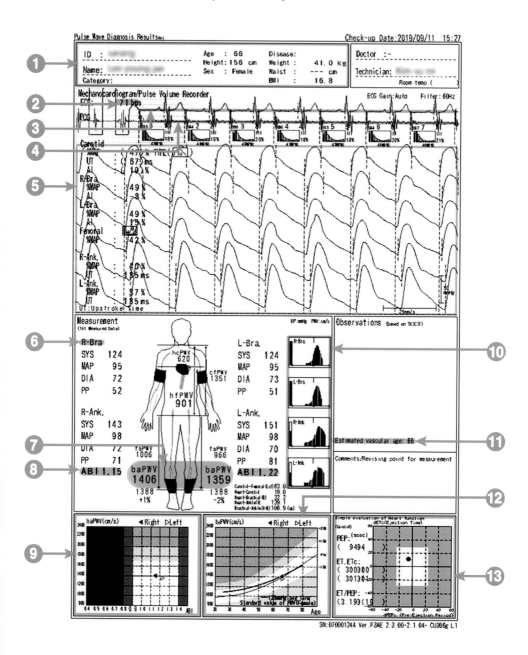

① 환자 정보: 병록번호, 이름, 연령, 성별, 키, 몸무게

② 맥박수(heart rate)

③ 심전도(electrocardiogram)

④ 심음도(phonocardiogram)

⑤ Pulse wave form 과 관련된 추가 지표들

　- % MAP: %Mean Arterial Pressure

　- AIx: augmentation index

　- UT: upstroke time

⑥ 혈압 측정치: 좌우 상하지 측정값이 제시된다.

⑦ baPWV: brachial-ankle PWV

⑧ ABI: ankle brachial index

⑨ Graph 1: ABI와 PWV 값을 정상치/비정상 분류에 따라 표시한 그림

⑩ PVR waveform: 측정된 pulse wave 값

⑪ Vascular age: 측정된 PWV 수치에 근거한 혈관 나이

⑫ Graph 2: 연령별 분포에 근거한 검사 수치

⑬ Graph 3: 좌심실 수축기 시상 분석(Systolic Time Intervals, STI)

　- ET (ejection time)

　- PEP (pre-ejection period)

VI. 검사결과의 해석

1. 경동맥-대퇴동맥 맥파전달속도 (carotid-femoral pulse wave velocity, cfPWV)

　유럽과 미국에서는 cfPWV 값을 동맥경직도 측정의 표준(gold standard)으로 인정하고 있다. VP-1000에서도 경동맥 파형센서(carotid arterial pulse sensor, CAP)와 대퇴동맥 파형센서(femoral arterial pulse sensor, FAP)를 부착하면 cfPWV 값을 얻을 수 있다. cfPWV가 10 m/s (1000 cm/s) 이상인 경우 동맥경직도가 높은 것으로 평가한다.

　The Reference Values for Arterial Stiffness' Collaboration 그룹에서는 2010년 유럽의 8개 국가에서 16,867명을 대상으로 PWV를 측정하여 아래와 같이 reference 값을 제시한 바 있다.

표 1-1. 유럽에서 제시한 cfPWV 의 기준값(m/s)

연령군	평균 (±2 표준편차)	중간값 (10–90 percentile)
<30	6.2 (4.9–7.6)	6.1 (5.3–7.1)
30–39	6.5 (3.8–9.2)	6.4 (5.2–8.0)
40–49	7.2 (4.6–9.8)	6.9 (5.9–8.6)
50–59	8.3 (4.5–12.1)	8.1 (6.3–10.0)
60–69	10.3 (5.5–15.0)	9.7 (7.9–13.1)
≥70	10.9 (5.5–16.3)	10.6 (8.0–14.6)

2. 상완-발목 맥파전달속도(brachial-ankle pulse wave velocity, baPWV)

VP-1000 의 보고서는 일본에서 측정된 기준값에 따라 보고된다. 2002년 Tomiyama 등은 일본인 12,517명에서 baPWV 값을 측정하여 성별과 연령에 따라 다음과 같은 분포를 보인다고 보고하였다.

남성	$baPWV=0.20 \times age^2-12.13 \times age +1341.34$
여성	$baPWV=0.16 \times age^2-4.40 \times age +977.52$

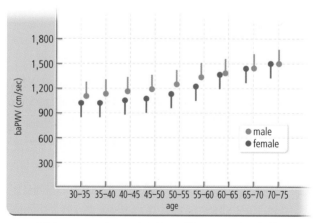

■ 그림 1-2. Tomiyama 등이 보고한 baPWV의 표준측정값

최근 Ohkuyama 등은 최근 일본인 14,673명을 6.4년간 추적한 데이터를 메타분석한 결과를 발표하였다. 연구 결과 아래 그림과 같이 고혈압, 당뇨 유무와 관계 없이 PWV가

심혈관질환 발생 예측에 도움이 되는 것으로 나타났다.

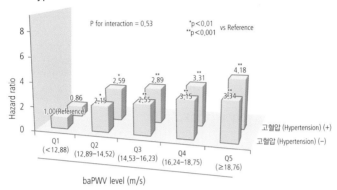

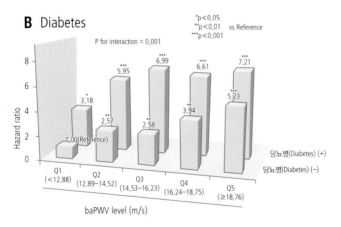

■ 그림 1-3. baPWV와 심혈관질환 발생의 위험성

3. 발목상완지수(ankle brachial index, ABI)

ABI는 다음과 같이 계산된다.

$$ABI = \frac{\text{발목 수축기혈압(ankle systolic pressure)}}{\text{상완 수축기혈압(brachial systolic pressure)}}$$

ABI는 하지동맥협착의 지표로 사용되며, 2017년 유럽심장학회 진료지침에서는 다음과 같은 기준으로 해석할 것을 권고하고 있다.

ABI 값	해석
>1.40	혈관의 석회화(calcificiation, noncompressible vessel)
1.00-1.40	정상(normal)
0.91-0.99	경계(borderlines)
≤0.90	비정상(abnormal) – 하지 말초 혈관 질환 시사

4. 파형증가지수(augmentation index, AIx)

AIx는 pulse wave form을 이용하여 혈관경직도를 정량화한 수치 중 하나이다. 임상에서 많이 사용되고 있는 지표는 아니다. 다음과 같이 계산되며, 값이 높을 수록 혈관경직도가 심함을 시사한다.

$$AIx = \frac{증강압력(augmentation\ pressure,\ AP)}{맥압(pulse\ pressure,\ PP)} \times 100$$

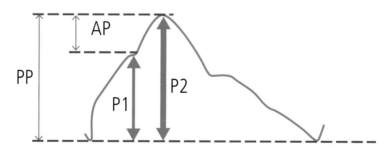

이전 연구결과 한국인 522명에서 AIx 값을 측정하여 말초 AIx 100%를 기준값으로 제시한바 있다. 기타 %MAP (%Mean Arterial Pressure), UT (upstroke time) 등의 값이 제시되지만 아직 PWV만큼 임상데이터가 충분한 것은 아니다.

VII. 요약

1. 동맥경직도는 진단방법이 아니며 치료의 목표도 아니지만, 심혈관질환의 발생과 사망을 예측하는 유용한 지표이다.
2. 동맥경직도의 측정은 여러 가지 방법이 있으며, 맥파전달속도(Pulse wave velocity,

PWV)는 적은 비용으로 간편하게 측정이 가능하고, 많은 임상연구 결과가 있어 현재 가장 추천되는 방법이다.
3. 맥파속도 측정의 오류를 줄이기 위해서는 일정하고 안정된 환경에서 측정이 이루어져야 하고, 검사자의 많은 노력이 필요하다.

참고문헌

1. Van Bortel LM, Laurent S, Boutouyrie P, et al. Expert consensus document on the measurement of aortic stiffness in daily practice using carotid-femoral pulse wave velocity. J Hypertens 2012;30:445-8.
2. Reference Values for Arterial Stiffness' Collaboration. Determinants of pulse wave velocity in healthy people and in the presence of cardiovascular risk factors: 'establishing normal and reference values'. European Heart Journal 2010;31:2338-50.
3. Tomiyama H, Yamashina A, Arai T, et al. Influences of age and gender on results of noninvasive brachial-ankle pulse wave velocity measurement-a survey of 12517 subjects. Atherosclerosis 2003;166:303-9.
4. Chung JW, Lee YS, Kim JH, et al. Reference Values for the Augmentation Index and Pulse Pressure in Apparently Healthy Korean Subjects. Korean Circ J 2010;40:165-71.
5. Aboyans V, Ricco JB, Bartelink MEL, et al. 2017 ESC Guidelines on the Diagnosis and Treatment of Peripheral Arterial Diseases, in collaboration with the European Society for Vascular Surgery (ESVS). European Heart Journal 2018;39:763-821.

중심동맥압의 평가

Arterial Tonometry

한림의대 **이선기** / 성균관의대 **성기철**

중심동맥압의 평가

Arterial Tonometry

한림의대 **이선기** / 성균관의대 **성기철**

I. 개요

파형증가 지수(augmentation index, AIx)는 동맥 혈류의 반사파에 의한 맥압 크기를 분석하여 동맥경직도(aiterial stiffness)를 평가하는 혈역학적인 측정법이다. 혈관이 경직되면서 심장에서 발생한 전진파와 말초에서 심장으로 돌아오는 반사파의 속도가 빨라지게 되면, 반사파가 중심동맥에 일찍 도착하여 중심동맥의 수축기 압력이 증가하여 수축기 혈압이 상승하게 된다(그림 2-2). 높은 파형증가 지수는 좌심실 부하의 증가를 의미하고, 혈관의 경직도를 나타내는 지표이며, 심혈관질환의 위험과 밀접한 관계가 있다(그림 2-1).

Arterial tonometry법을 통한 중심압력의 측정은 맥파를 분석하여 중심동맥압, 파형증가 지수 등을 측정할 수 있는 대표적인 비침습적 측정법이다. Arterial tonometry법은 동맥을 부분적으로 평평하게 만드는 데 필요한 압력을 감지하여 심장의 박동에 따른 혈압의 변화를 측정한다. 그림 2-3과 같이 여러 개의 독립적인 압력 변화기로 구성된 압력 변환계(pressure transducers)가 피부 아래에 있는 표면 동맥에 밀착되어 측정하게 된다. 연속적

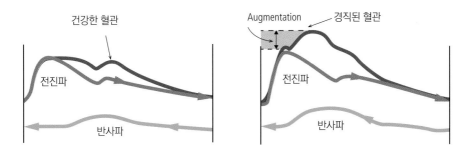

■ 그림 2-1, 2-2. 건강한 혈관과 경직된 혈관에서의 파형. 경직된 혈관에서 반사파의 조기 귀환에 의한 파형증가가 발생함.

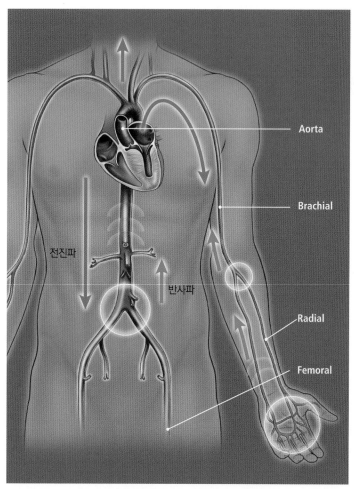

그림 2-1, 2-2. 맥파의 전달과 반사파. 심장이 수축할 때마다 동맥을 따라 전진파(forward wave, 파란색 화살표)가 진행하다가, 혈관의 분지(흰색 원)나 말초혈관에서 반사되어 반사파(reflected wave, 초록색 화살표)가 형성됨.

인 파형의 기록은 침습적인 방법으로 얻은 동맥 혈압 파형과 매우 유사한 형태를 띄게 되어 비교적 정확하게 중심동맥압을 측정할 수 있다는 장점이 있지만, 검사자의 숙련도가 필요하며 움직임에 따른 검사의 오차가 심하다는 단점이 있겠다.

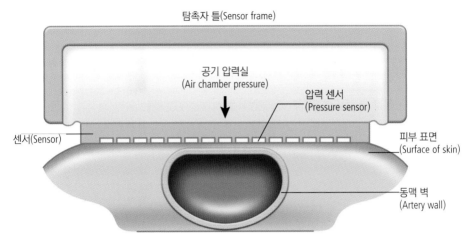

■ 그림 2-3. Arterial tonometry법의 모식도. 연속적인(beat-to-beat) 동맥 파형의 획득을 통해 이루어지는 검사이며, 센서(sensor)가 동맥 위에 밀착되어야 정확한 검사가 진행된다.

우리나라도 고령화 사회로 진입함에 따라 혈관 노화와 심혈관 질환이 증가하는 추세이며, 이에 따라 최근 혈관 노화와 동맥경화의 진단과 치료효과 판정에 대한 임상의들의 관심이 증가하고 있다. 또한, 새로운 의료기기의 개발과 발전으로 이를 이용하는 여러 검사법과 임상응용에 관한 새로운 지식들이 나오고 있어 이에 관련된 정보의 올바른 이해가 필요하다.

이에 이 장에서는 현재 혈관의 동맥경직도를 평가하는 대표적인 비침습적 검사 방법으로 알려진 Arterial tonometry 검사의 실제와 검사 결과의 해석에 대해 다뤄보고자 한다.

II. 검사 전 준비

① 검사는 조용한 검사실에서 이루어지도록 준비한다.
② 측정 전 환자는 안정된 상태를 유지하기 위해 최소 5분 동안 앉거나 누운 자세로 휴식을 취한다.
③ 측정 전 최소 12시간 동안 음주를 피해야 하며, 4시간 전부터는 담배 또는 카페인 섭취를 삼가 한다.
④ 측정 시간에 따라 검사 결과가 달라질 수 있으므로, 추적 검사를 하는 경우에는 가능하면 같은 시간대에 검사를 시행하도록 한다.

⑤ 혈압 측정을 한 후 최소 2분 이상을 기다렸다가 검사를 시작해야 한다.

Ⅲ. 검사 방법

말초동맥 맥파 분석을 통해 중심동맥압을 분석하는 방법에는 여러 가지가 있으나, 호주 AtCor 회사의 SphygomorCor 시스템이 가장 초기부터 사용됐으며, 현재 국내의 가장 많은 병원에서 사용 중이다. 중심동맥압은 이상적으로는 침습적인 방법으로 직접 측정하는 것이 가장 정확하지만, 경동맥이나 요골동맥의 맥파로부터 중심동맥압을 구할 수 있는 여러 방법들이 소개되었고 상용화되고 있다. 여기에서는 Tonomerty형 센서(AtCor Medical)를 통해 요골동맥의 맥파를 측정하는 방법을 중심으로 기술하고자 한다.

1. 시스템 구성 - 본체(Module)

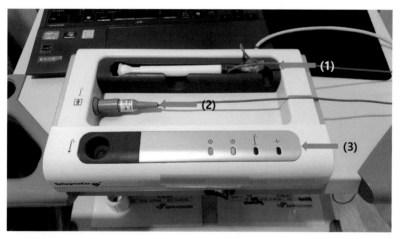

■ 그림 2-4. 본체 구성
(1) Tonometer : 혈압을 디지털 신호로 측정하여 모듈에 전송하는 부분
(2) Tonometer 연결부 : Tonometer를 모듈과 연결하는 부분
(3) 상태표시부 : 모듈의 활동상태를 나타내는 부분

2. 시스템 시작 및 소프트웨어 사용방법
1) 모듈이 컴퓨터에 연결되어 있는지 확인하고 전원 램프(녹색등) 및 준비 램프(주황색등)가 점등 되었는지 확인한다.

■ 그림 2-5. 본체 전면부

2) SphygmoCor 프로그램을 선택하여 소프트웨어를 시작한다.

3) SphygmoCor가 실행되면, 환자 스크린이 나타난다. 스크린 상위에는 시스템 메뉴, 툴바 버튼이 있다.

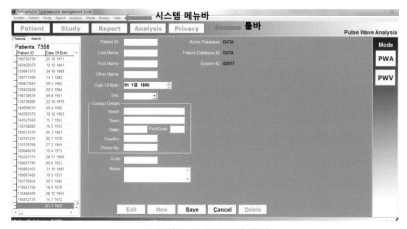

■ 그림 2-6. 프로그램 화면

3. 중심동맥압 및 파형증가 지수 측정

1) 환자 데이터 생성 및 검색

(1) 프로그램 화면 상의 Patient 버튼을 클릭한다.

(2) 새로 환자 데이터를 추가 하려면 Create New 버튼을 누른다.

(3) 환자 편집 패널에 환자의 상세 정보를 입력한다. 성명, 생년월일, 성별은 필수 입력 사항이다.

(4) 데이터베이스에 새로운 환자의 상세정보를 입력하려면 Update 버튼을 누른다. 입력한 상세정보를 삭제하려면 Reject 버튼을 누른다.

2) 검사 실행

선택한 환자의 검사를 실행하려면, study 툴바 버튼을 클릭하거나, 키보드의 F3키를 눌러 study 스크린을 활성화 한다.

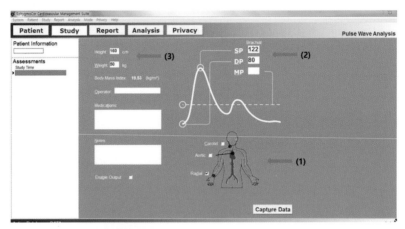

■ 그림 2-7. Study 스크린 화면

(1) Radial과 Carotid 체크박스를 클릭하여 측정하려는 동맥을 선택한다.
(2) 혈압계를 사용하여 확인한 혈압을 기입한다.
(3) 투약, 키 및 체중 항목은 필요에 따라 선택적으로 기재한다.

3) Tonometer 사용법

(1) 검사를 시행하기에 앞서, **그림 2-8**과 같이 환자 손목이 뒤로 약간 젖혀진 "뒤굽힘" 상태를 유지하는 것이 좋다. 또한, 환자 손목 뒤쪽을 측정자가 손으로 잡아 흔들리지 않게 하거나, 작은 베개를 환자의 손목 아래에 받치도록 한다.

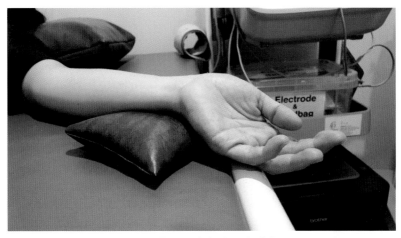

■ 그림 2-8. 검사 전 준비 예시

(2) 환자 손목의 요골동맥에서 맥이 가장 강하게 느껴지는 피부 부위를 찾아 측정계를 댄다.

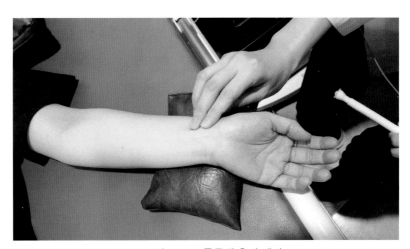

■ 그림 2-9. 요골동맥 촉지 예시

(3) Tonometer를 피부에 대고 화면 상에 파형 시그널이 나올 때까지 부드럽게 누른다. 파형이 화면의 범위를 벗어나면 시그널 스크린의 상단이나 하단에 수평선이 나오는 데, 이는 tonometer를 너무 강하거나 약하게 눌렀다는 것을 의미한다.

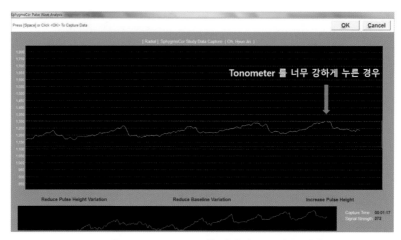

■ 그림 2-10. Tonometer를 강하게 누른 경우 예시

(4) Tonometer는 손목 피부와 수직을 이룬 상태에서 강하고 정확한 파형이 시그널 내
역창에 표시될 때까지 위치를 조정해야 한다.

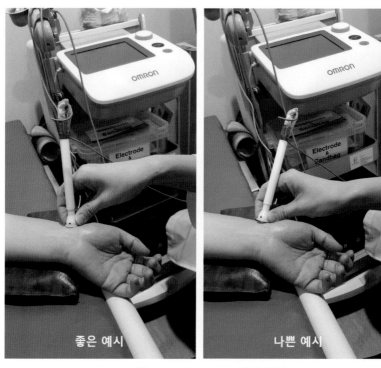

■ 그림 2-11. Tonometer 적용 예시

(5) 정확하고 일관된 파형이 얻어지면, 화면 상에 그림과 같이 초록색으로 파형이 표시 된다.

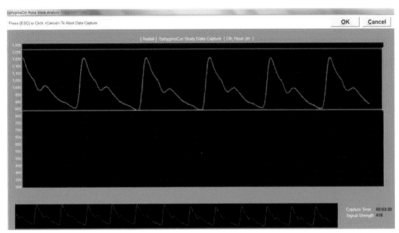

■ 그림 2-12. Tonometer를 통해 얻은 파형 예시

(6) 최소 11초간(약 3개의 수평 이동 화면에 해당하는 분량) 그 상태를 유지한 후, 키보 드의 스페이스 바를 누르거나 OK 버튼을 클릭한다. 혼자 검사하는 경우에는 풋 스 위치를 사용하는 것도 좋은 방법이다.

(7) 정확한 데이터 캡쳐를 위해서는 최소한 11초 이상 일정한 시그널이 유지 되어야 한 다.

4) 검사 결과 검토

데이터 캡쳐를 완료한 후에는 Report 스크린이 자동으로 표시된다. 또한 이 화면은 언 제라도 환자 스크린에서 그 환자를 선택하고 Report 버튼을 누르면 불러올 수 있다.

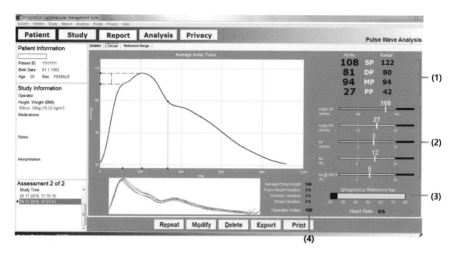

■ 그림 2-13. Report 스크린 화면

(1) 측정된 중심동맥압 및 팔에서 측정한 미리 입력된 혈압 값(mmHg).

(2) 대동맥 수축기혈압, 맥박 압력 및 파형증강 지수 등의 정상 기준 범위 막대 그래프. 측정치가 정상 범위를 벗어나면 빨간색으로 숫자가 표시됨.

(3) SphygmoCor reference age를 보여주는 막대 그래프. 파란색 막대가 환자의 결과 값.

(4) Operator index(오퍼레이터 인덱스): 검사의 품질 지수. 가능하면 오퍼레이터 인덱스가 100에 가깝게 측정하는 것이 중요. 일반적으로 오퍼레이터 인덱스가 80 이상이면 허용 가능한 수준으로 봄. 아래의 네 가지 품질 지수를 사용한 가중등식으로 계산되며, 일반적으로 허용 가능한 품질 지수 값은 다음과 같으며, 허용 범위 내에 해당 될 때만 초록색으로 표시됨.

① Average pulse height(평균 펄스 높이) ≥ 80

② Pulse height variation(펄스 높이 변이) ≤ 5

③ Diastolic variation(이완기 변이) ≤ 5

④ Shape variation(모양 변이) ≤ 2

IV. 검사결과의 보고

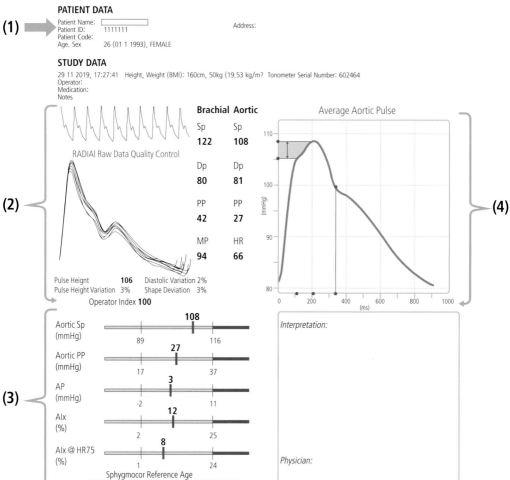

SPhygmoCor
Clinical Assessment

(1) PATIENT DATA

Patient Name:
Patient ID: 1111111
Patient Code:
Age, Sex 26 (01 1 1993), FEMALE

Address:

STUDY DATA

29 11 2019, 17:27:41   Height, Weight (BMI): 160cm, 50kg (19.53 kg/m²) Tonometer Serial Number: 602464
Operator:
Medication:
Notes

(2) RADIAl Raw Data Quality Control

	Brachial	Aortic
Sp	122	108
Dp	80	81
PP	42	27
MP / HR	94	66

Pulse Height **106**   Diastolic Variation 2%
Pulse Height Variation 3%   Shape Deviation 3%
Operator Index **100**

Average Aortic Pulse **(4)**

(3)

Aortic Sp (mmHg) **108** 89 116
Aortic PP (mmHg) **27** 17 37
AP (mmHg) **3** -2 11
AIx (%) **12** 2 25
AIx @ HR75 (%) **8** 1 24

Sphygmocor Reference Age
20 30 40 50 60 70 80

Interpretation:

Physician:

Signature:

(1) 환자 정보 : 이름, 등록번호, 나이, 성별, 키, 몸무게 및 BMI.

(2) 검사의 품질 지수를 보여 주는 그래프.

(3) 중심동맥 수축기혈압(aortic SP), 중심동맥 맥압(aortic PP), 맥압 증폭(augmentation pressure, AP), 파형증가 지수(AIx), 맥박수 75회로 가정 시 파형증가 지수(AIx@75)의 정상 기준 범위 막대 그래프. 측정 치가 정상 범위를 벗어나면 빨간색으로 표시 됨.

(4) 요골동맥에서 얻은 평균 중심동맥 파형(average aortic pulse) 그래프.

V. 검사결과의 해석

요골동맥에서 얻은 중심동맥 파형과 분석을 통해 (1) 중심동맥압, (2) 파형증가 지수, (3)심내막하생존율(subendocardial viablity ratio, SEVR), (4) 좌심실 수축기간지표(ejection duration index, ED%) 등의 값을 산출 할 수 있으며, 혈관경직도 뿐만 아니라 관상동맥 혈류 상태, 심장의 수축력 상태 등을 파악할 수 있다.

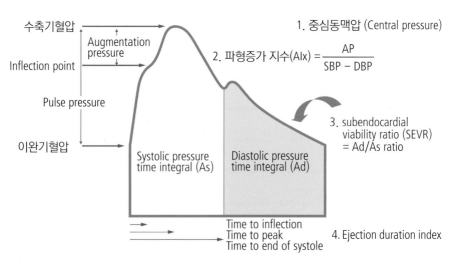

■ 그림 2-14. 요골동맥에서 얻은 평균 중심동맥 파형(Average aortic pulse) 그래프

1. 중심동맥압(Central pressure)

중심동맥압은 대동맥과 경동맥의 혈압을 일컬으며, 일반적으로 상완에서 측정하는 상완동맥혈압보다 심혈관질환의 발생과 더 밀접한 관계가 있다고 알려져 있다. The Reference Values for Arterial Measurements Collaboration 그룹에서는 2014년 77개

의 연구, 82,930명 메타분석을 통해 표 2-1과 같은 reference 값을 제시하였다.

표 2-1. 유럽에서 제시한 정상 인구에서의 수축기 중심동맥압 수치

연령군(세)	남성(mmHg)	여성(mmHg)
〈20	105	97
20-29	103	95
30-39	103	98
40-49	106	102
50-59	110	110
60-69	114	114
≥70	116	118

2. 파형증가 지수(Augmentation index, AIx)

파형증가 지수는 그림 2-4와 같이 맥압 증폭(augmentation pressure, AP)을 맥압(pulse pressure, PP)으로 나눈 값을 의미한다.

$$AIx = AP/PP×100 \ (\%)$$

측정한 파형증가 지수의 값이 클수록 대동맥의 경직도가 심함을 의미한다. 참고로 AIx@75 값은 파형증가 지수가 심박동수에 영향을 받으므로 이를 보정하여 심박수 75회에서의 파형증가 지수로 변환한 값으로, SphygmoCor software 자체에서 심박수 10회 상승 시마다 파형증가 지수를 4.8% 감소시키는 것으로 설정되어 있다.

2008년 영국에서 10,613명을 정상 및 환자군들을 대상으로 조사한 파형증가 지수는 아래 표 2-2와 같다.

표 2-2. 영국에서 제시한 다양한 인구군에서의 파형증가 지수 수치

	정상군 (n=5648)	고혈압군 (n=3420)	고지혈증군 (n=289)	흡연군 (n=290)	당뇨군 (n=356)	심혈관질환군(n=610)
나이(세)	45±21	61±17	57±16	33±16	65±14	70±10
성별(남성/여성)	2779/2869	1990/1430	117/172	153/137	128/228	167/443
AIx(%)	18±18	28±14	26±13	11±16	26±12	29±11

3. 심내막하생존율(subendocardial viabiliy ratio, SEVR%)

Buckberg 비율로도 알려진 심내막하 생존율(subendocardial viability ratio, SEVR%)은 관상동맥 관류(coronary perfusion)와 동맥 부하(arterial load) 사이의 균형을 반영하는 유용한 지표이다. 이완기 압력-시간 지수(diastolic pressure-time index, DPTI)를 수축기 압력-시간 지수(systolic pressure-time index, SPTI)로 나눈 것으로 정의된다(**그림 2-4**). 정상적인 관상 동맥에서 SEVR%가 50% 이하로 감소하면 심내막하 허혈이 발생한다고 알려져 있다.

4. 좌심실 수축기간지표(ejection duration index, ED%)

좌심실 수축기간 지표(Ejection duration index, ED%)는 tonometry를 사용하여 맥파형 분석을 통해 얻을 수 있는 또 하나의 검사값이다. 밀리초(millisecond, ms) 단위의 수축기 지속 시간을 심장 주기의 총 지속 시간으로 나눈 값이 좌심실 수축기간 지표이다. 좌심실 수축기 장애가 있는 환자는 좌심실 이완기 장애가 있는 환자보다 좌심실 수축기간 지표가 더 높은 것으로 알려져 있다. 또한, 좌심실 수축기간 지표는 맥박 수와 직선형의 역 상관관계를 가지므로, 심박수에 따른 편차가 심하다는 점에 유의해야 한다. SphygmoCor에서 제시한 정상 좌심실 수축기간 값은 200-300 ms이다.

VI. 요 약

1. 중심동맥압은 말초동맥압에 비해, 직접적으로 심장의 후부하를 나타내는 표지자로, 좌심실 심근, 관상동맥과 뇌혈관의 부하를 더 정확하게 반영하고, 표적장기손상 및 심혈관 질환의 발생과 더 밀접하게 관련이 있다.
2. 파형증가 지수와 중심동맥압은 심혈관질환의 발생과 연관되며, 이런 항목들의 비침습적 측정법들이 소개되었다. 중심동맥압은 심혈관질환의 위험을 평가할 수 있는 척도임과 동시에 경계성 고혈압 환자에 대한 약물 치료 시작의 결정 및 고혈압 환자의 약물 강도 조절에 도움을 줄 수 있는 지표가 될 것으로 생각된다.
3. 아직 해결해야 될 제한점들(각 지표들의 측정부위 및 방법의 표준화, 다양한 환자군에서 사용 가능하고 적용할 수 있는 참고치 확정 등)이 남아있지만 향후 중심동맥압과 이와 연관된 지수들(동맥경직도; 맥파 속도, 맥파분석; 파형증가 지수)이 실제 임상에서 널리 사용될 수 있을 것으로 기대된다.

참고문헌

1. Michel Safar, Michael O'Rourke. Arterial stiffness in hypertension, Vol.23. 1st ed. Churchill and Livingstone: Elsevier. 2006;3-19.

2. Hope SA, Tay DB, Meredith IT, et al. Use of arterial transfer functions for the derivation of aortic waveform characteristics. J Hypertens 2003;21:1299-1305.

3. Differential impact of blood pressure-lowering drugs on central aortic pressure and clinical outcomes: principal results of the Conduit Artery Function Evaluation (CAFE) study. Circulation 2006;113:1213-25.

4. Williams B, Lacy PS, Thom SM, et al. Expert consensus document on arterial stiffness: methodological issues and clinical applications. Eur Heart J 2006;27:2588-2605.

5. Agabiti-Rosei E, Mancia G, O'Rourke MF, et al. Central blood pressure measurements and antihypertensive therapy: a consensus document. Hypertension 2007;50:154-60.

6. Roman MJ, Devereux RB, Kizer JR, et al. Central pressure more strongly relates to vascular disease and outcome than does brachial pressure. Hypertension 2007;50:197-203.

7. Carmel M McEniery, Yasmin, Barry McDonnell, et al. Central pressure: variability and impact of cardiovascular risk factors: the Anglo-Cardiff Collaborative Trial II. Hypertension 2008;51:1476-82.

8. Annie Herbert, John Kennedy Cruickshank, Stéphane Laurent, et al. Establishing reference values for central blood pressure and its amplification in a general healthy population and according to cardiovascular risk factors. Eur Heart J 2014;35:3122-33.

9. Emre Aslanger, Benjamin Assous, Nicolas Bihry, et al. Baseline subendocardial viability ratio influences left ventricular systolic improvement with cardiac rehabilitation. Anatol J Cardiol 2017;17:37-43.

10. Anton Haiden, Bernd Eber, Thomas Weber. U-Shaped Relationship of Left Ventricular Ejection Time Index and All-Cause Mortality. Am J Hypertens 2014;27:702-9.

24시간 활동혈압 검사

Ambulatory Blood Pressure Monitoring

한림의대 **최재혁** / 가톨릭의대 **임상현**

24시간 활동혈압 검사

Ambulatory Blood Pressure Monitoring

한림의대 **최재혁** / 가톨릭의대 **임상현**

I. 개요

혈압은 호흡, 스트레스, 약물, 환경, 일중 변화에 따라 그 측정치에 변동이 있을 수 있다. 따라서 진료실에서 한번 측정된 혈압을 기준으로 고혈압의 치료 여부를 결정한다면 불필요한 치료를 초래하거나 치료가 필요한 환자들을 치료하지 않는 우를 범할 수가 있다.

활동혈압을 측정하면 병원에서 1회 측정 시 확인할 수 없는 활동 중이나 수면 중의 혈압 변화에 대한 정보를 얻을 수 있다. 예를 들면 처음 측정 시 고혈압으로 진단되는 환자 중 20-35%는 백의고혈압(고혈압이 아님에도 불구하고 병원에서 혈압 측정 시 높게 나오는 경우)인 것으로 알려져 있는데 이러한 경우 24시간 활동혈압 측정은 유용한 정보를 제공해준다. 또한 고혈압약에 반응하지 않을 때, 간헐적인 고혈압이 있을 때, 임신 중 고혈압의 진단 시, 혈압이 불안정할 때, 자율신경장애가 있을 때, 위험도 평가를 위해 정확한 혈압 측정이 요구될 때, 혈압 치료 효과를 정확하게 판정할 때 도움이 된다. 또한 가정혈압과 진료실혈압이 불일치하여 보다 객관적인 측정 결과가 필요할 때 유용하다.

활동혈압 측정의 장점으로는 15-30분 간격으로 반복해서 혈압을 측정한 후 평균치를 구하기 때문에 실제 환자의 혈압을 더 정확히 반영해 줄 수 있고, 일상생활을 할 때 환자에게 가해지는 압력부하(pressure load)를 보다 더 정확히 반영해 줄 수 있다. 실제로 기존 코호트 연구결과들을 보면, 표적장기손상과 심혈관질환 사망률을 예측하는데 있어서 활동혈압이 진료실혈압보다 연관성이 높다고 보고되었다.

1. 24시간 활동혈압 검사의 적응증

1) 백의고혈압이 의심될 때
- 백의고혈압은 진료실혈압이 140/90 mmHg 이상이면서 가정혈압 또는 평균 주간 활동혈압이 135/85 mmHg 미만인 경우로 정의한다.
- 진료실에서 1기 고혈압 정도로 고혈압의 정도가 심하지 않을 때 긴장에 의한 일시적 혈압 상승을 배제하기 위해 권고한다.
- 진료실혈압이 높지만 표적장기손상이 없으며, 기타의 심혈관 위험도가 높지 않을 때 측정하는 것을 권고한다.

2) 가면고혈압이 의심될 때
- 가면고혈압은 진료실혈압이 140/90 mmHg 미만이지만 가정혈압 또는 평균 주간 활동혈압이 135/85 mmHg 이상인 경우로 정의한다.
- 진료실혈압이 정상이나 표적장기손상이 있거나 심혈관 위험도가 높을 때 권고한다.
- 진료실에서 혈압이 경계선일 때 권고한다.

3) 진료실혈압의 변동이 심할 때 권고한다.
4) 약제 치료에 반응이 적을 때 권고한다.

II. 검사방법

1. 검사 전 주의사항
① 검사 날 상의는 소매 통이 넓은 옷으로 입어야 기계 착용 시 편리하다.
② 기계가 물에 젖거나 떨어뜨리지 않도록 주의해야 한다.
③ 혈압이 재어질 때는 하던 일을 잠시 멈추고 팔꿈치를 곧게 펴고 팔을 고정시켜야 정확한 혈압을 잴 수 있다.
④ 일기장에는 혈압이 재어졌을 때의 시각과 그때 어디에서 무엇을 하고 있었는지 적어야 한다.
⑤ 혈압은 낮에는 15-30분 간격, 밤에는 30분 간격으로 측정되어진다.
   팔을 곧게 펴지 않거나 많이 움직였을 경우 다시 재어질 수 있다.
⑥ 기계의 버튼을 임의로 누르거나 뒷면의 건전지를 만질 경우 그동안 기록된 자료가 손상될 수 있으므로 주의해야 한다.

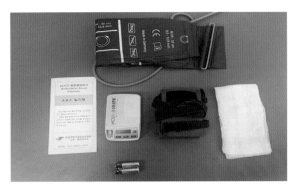

■ 그림 3-1. 24시간 활동혈압검사의 준비물

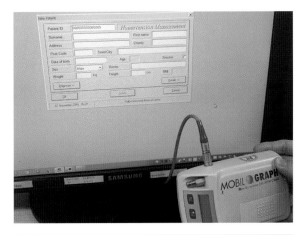

■ 그림 3-2. 혈압측정 기기를 프로그램에 연결하고 환자정
보를 입력한다.

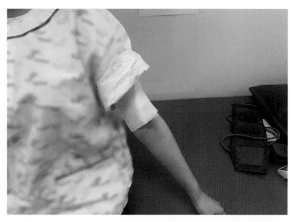

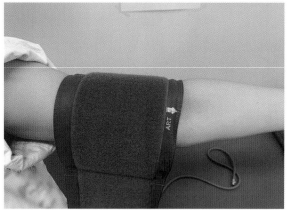

■ 그림 3-3. 검사자의 상완 중간부위에 거즈를 감고, 혈압측정 커프를 부착한다(상완둘레가 33 cm 이상일 경우 대형 커프 사용).

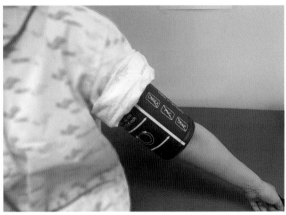

■ 그림 3-4. 혈압측정 커프와 혈압기기를 연결한 뒤, 혈압기기 가방을 몸에 부착한다.

활동혈압을 측정할 때는 측정 방법에 대해 충분히 설명하여야 한다. 환자에게 설명서를 배부하고, 일기 작성을 교육하며, 활동혈압계의 작동 중지 방법을 설명해야 한다.

III. 검사결과의 해석

1. 활동혈압의 기준값

활동혈압으로 주간혈압의 평균 ≥135/85 mmHg, 야간혈압의 평균 ≥120/70 mmHg, 하루혈압의 평균 ≥130/80 mmHg을 기준으로 고혈압을 진단한다.

표 3-1. 측정방법에 따른 고혈압의 진단기준

측정방법	수축기혈압(mmHg)	이완기혈압(mmHg)
진료실혈압	≥140	≥90
24시간 활동혈압		
하루 평균혈압	≥130	≥80
주간 평균혈압	≥135	≥85
야간 평균혈압	≥120	≥70
가정혈압	≥135	≥85

주간혈압과 야간혈압은 각각 다른 임상적인 의미를 가지고 있어 주간과 야간을 구분하는 방법이 매우 중요하다. 따라서 주야간의 구분은 피험자의 행동기록에 근거하여 측정하는 것이 좋다. 그러나 용이하지 않은 경우 주간혈압의 정의는 오전 9시부터 오후 9시 사이의 혈압의 평균치로, 야간혈압은 정상적인 수면 주기를 갖는 사람을 기준으로 새벽 1시부터 새벽 6시까지의 혈압으로 정의한다.

일일 혈압의 평균은 (야간혈압 × 실제 수면시간 + 주간혈압 × 각성시간)/24로 계산된다.

2. 활동혈압의 의미

대체로 활동혈압의 평균값으로써 사회활동과 관련된 혈압의 특성을 가장 잘 반영하는 주간혈압의 평균을 기준으로 고혈압을 진단한다.

백의고혈압(White coat hypertension)의 정의는 진찰실 혈압이 140/90 mmHg 이상이면서 주간 활동혈압이 135/85 mmHg 미만인 경우로 전체 고혈압 환자의 20%로 보고되고 있다. 가면고혈압(Masked hypertension)의 정의는 진찰실 혈압이 140/90 mmHg 미만이면서 주간 활동혈압이 135/85 mmHg 이상인 경우이다.

혈압은 주간에 높고 수면 중에는 낮아지는데, 정상적으로 야간혈압은 주간혈압에 비해 10-20% 낮으며 이와 같은 경우를 dipper라고 한다. 야간혈압이 10% 미만 감소하는 경우(non-dipper) 또는 야간혈압이 주간혈압에 비해 오히려 상승하는 경우(riser 혹은 reverse dipper)에는 야간혈압이 10% 이상 감소하는 정상적인 경우(dipper)에 비하여 사망, 심근경색, 뇌졸중과 같은 심혈관 사건의 위험이 더 높다. 야간혈압이 20% 이상 심하게 감소하는 경우(extreme dipper)에는 허혈성 뇌졸중과 동맥경화증의 위험도가 증가한다. 야간혈압이 주간혈압에 비해 오히려 상승하는 경우(riser 혹은 reverse dipper)에는 대개 자율신경장애가 있으며, 출혈성 뇌졸중이 흔한 것으로 알려져 있다. 그리고 아침에 혈압이 상승(morning surge) 하는 것은 심뇌혈관질환의 위험인자로 알려져 있으며 특히 뇌졸중 발생의 위험인자로 알려져 있다.

24시간 활동혈압은 진찰실 혈압보다 심혈관계 질환의 예후와 관련성이 높으며 활동혈압의 상승 정도, 야간고혈압, 가면고혈압 또는 백의고혈압 여부, 그리고, 혈압의 변이성 모두 심혈관계 질환의 중요한 예후 인자가 될 수 있다. 따라서 처음 진단받는 고혈압 환자에서는 예후평가의 측면에서 활동혈압의 측정을 고려해야 한다.

3. 측정 오류의 판정

판독 시 제외시켜야 할 혈압 수치의 판정 기준

(1) 수축기혈압 70 mmHg 이하 또는 250 mmHg 이상

(2) 이완기혈압 40 mmHg 이하 또는 150 mmHg 이상

(3) 맥압 20 mmHg 이하 또는 150 mmHg 이상 인 경우

2014년 유럽의 24시간 활동혈압 가이드라인에 따르면, 일반적으로 충족되는 24시간 활동혈압 결과는 24시간 측정값 중 70%이상이 제대로 측정된 유효한 측정값이어야 하고, 20개 이상의 각성 시 유효한 측정값 그리고 수면 시 7개 이상의 유효한 측정값이 있어야 올바른 24시간 활동혈압 측정을 하였다고 판단할 수 있다.

IV. 24시간 활동혈압 보고서

Hypertension Management

Patient ID:		Date of birth:	
Name:		Weight:	64.0kg
First name:		Height:	160cm
Street:		Sex:	Female
City:		e-mail:	
Phone:		Section/Room:	

Report	24h ABPM	
	Start:	21/02/2020 11:15
	End:	22/02/2020 09:40

		Total		Day		Night		Morning	
		Value	Goal	Value	Goal	Value	Goal	Value	Goal
Time									
Start		21/02/2020 11:15	08:50	21:59		22:00		07:50	
End		22/02/2020 09:40	21:59			07:49		08:49	
Duration		22:25		12:35		09:50			
Measurements									
Total		61		36		22		3	
Valid		61		36		22		3	
Valid	%	100	>70	100		100		100	
Average: Over single measurements									
Systole	mmHg	114	<130	121	<135	101	<120	116	
Diastole	mmHg	69	<80	78	<85	53	<75	78	
MAP	mmHg	89		98		75		95	
Pulse pressure	mmHg	45		43	<60	48		38	
Values above limit									
Systole	%	3		6	<25 (1)	0	<25 (3)		
Diastole	%	11		19	<25 (2)	0	<25 (4)		
Values above limit(1) >= 140 (2) >= 90 (3) >= 125 (4) >= 80									
Maximum									
Systole	mmHg	150		150		118		116	
Diastole	mmHg	117		117		62		85	
Minimum									
Systole	mmHg	85		98		85		115	
Diastole	mmHg	42		45		42		74	
Dipping									
Systole	%	16.5 (Normal)							
Diastole	%	32.1 (Extreme)							
Dipping <0% Inverted; <10% Non-Dipper; <20% Normal; >=20% Extreme									

v 5.2.3　　　　IEM - Hypertension Management Software　　　　Page 1 / 5

■ 그림 3-5. 정상혈압과 Dipper인 경우

Hypertension Management

Patient ID:	Date of birth:	
Name:	Weight:	61.0kg
First name:	Height:	157cm
Street:	Sex:	Female
City:	e-mail:	
Phone:	Section/Room:	

Report

24h ABPM
Start: 20/02/2020 13:33
End: 21/02/2020 11:40

		Total		Day		Night		Morning	
		Value	**Goal**	**Value**	**Goal**	**Value**	**Goal**	**Value**	**Goal**
Time									
Start		20/02/2020 13:33	08:00		23:00		07:00		
End		21/02/2020 11:40	22:59		06:59		07:59		
Duration		22:07		14:07		08:00			
Measurements									
Total		64		44		17		3	
Valid		51		32		17		2	
Valid	%	80	>70	73		100		67	
Average: Over single measurements									
Systole	mmHg	140	<130	140	<135	140	<120	150	
Diastole	mmHg	88	<80	89	<85	83	<75	98	
MAP	mmHg	112		112		109		121	
Pulse pressure	mmHg	53		51	<60	56		52	
Values above limit									
Systole	%	67		56	<25 (1)	88	<25 (3)		
Diastole	%	65		56	<25 (2)	76	<25 (4)		

Values above limit(1) >= 140 (2) >= 90 (3) >= 125 (4) >= 80

Maximum									
Systole	mmHg	163		163		158		163	
Diastole	mmHg	128		128		98		98	
Minimum									
Systole	mmHg	92		92		110		136	
Diastole	mmHg	48		48		54		97	
Dipping									
Systole	%	0.0(Non-Dipper)							
Diastole	%	7.8(Non-Dipper)							

Dipping <0% Inverted; <10% Non-Dipper; <20% Normal; >=20% Extreme

v 5.2.3   IEM - Hypertension Management Software   Page 1 / 5

■ 그림 3-6. 고혈압, Non-dipper의 예

참고문헌

1. 대한고혈압학회. 혈압모니터지침. 2007.
2. Dolan E, Stanton A, Thijs L, et al. Superiority of ambulatory over clinic blood pressure measurement in predicting mortality: the Dublin outcome study. Hypertens 2005;46:156-61.
3. Verdecchia P, Porcellati C, Schillaci G, et al. Ambulatory blood pressure. An independent predictor of prognosis in essential hypertension. Hypertens 1994;24:793-801.
4. Ohkubo T, Kikuya M, Metoki H, et al. Prognosis of "masked" hypertension and "white-coat" hypertension detected by 24-h ambulatory blood pressure monitoring 10-year follow-up from the Ohasama study. J Am Coll Cardiol 2005;46:508-15.
5. Asayama K, Ohkubo T, Kikuya M, et al. Prediction of stroke by home "morning" versus "evening" blood pressure values: the Ohasama study. Hypertension 2006;48:737-43.
6. 혈압모니터지침. 고혈압 진료지침. 2018.
7. Parati G, Stergiou G, O'Brien E, et al. European Society of Hypertension practice guidelines for ambulatory blood pressure monitoring. J Hypertens 2014;32:1359-66.

내피세포 기능 검사

Endothelial Function Test

연세의대 **이찬주** / 연세의대 **박성하**

내피세포 기능 검사

Endothelial Function Test

연세의대 **이찬주** / 연세의대 **박성하**

I. 혈관내피세포의 임상적 중요성

혈관내피세포(endothelial cell)는 혈관 구조 중에서 혈관 내강과 맞닿는 세포로서 단층으로 혈관 내벽을 이룬다(그림 4-1). 혈관내피세포는 혈관을 순환하는 혈액과 장기 조직 간의 물리적인 장벽일 뿐 아니라 혈액과 조직 간의 가스 및 다양한 화합물의 교환에 관여하며, 혈관 내의 혈역학적인 변화를 감지하고 이에 반응하여 혈관의 항상성을 유지할 수 있게 해준다. 이런 역할에는 혈관내피세포가 nitric oxide synthase라는 효소를 이용하여 L-arginine으로부터 생성하는 nitric oxide (NO, 산화질소)가 중요하다. NO는 다양한 자극(acetylcholine, bradykinin 등)에 의하여 생성되며, 혈관 내의 염증 사이토카인이나 부착분자(adhesion molecule)의 표현을 방해하여 혈관 내 염증을 억제하고 혈소판의 응집을 차단하며, 혈관 평활근 세포의 증식을 막고, 혈관을 이완시킨다. 반면 지금까지 알려진 심혈관질환의 위험인자(고콜레스테롤혈증, 고혈압, 흡연, 당뇨, 노화 등)들은 혈관내피세포의 기능 장애를 초래하며 이는 죽상 경화증의 초기 현상으로 생각된다. 혈관내피세포의 기능 저하는 혈관 수축, 백혈구의 응집, 혈소판의 활성화, 염증 반응 등을 초래하며 죽상 경화증의 진행이 촉진되고 결국 동맥경화에 의한 합병증의 발생이 증가하게 된다. 죽상 경화증의 과정 중 초기에 이런 혈관내피세포 기능 저하가 일어나는 것으로 생각되고 있다.

혈관내피세포의 기능을 평가하기 위한 여러 방법들이 개발되어있다. 관상동맥 조영술을 이용한 방법은, 관상동맥으로 acetylcholine을 주입하였을 때 건강한 관상동맥에서는 확장이 일어나나 내피세포 기능 장애가 있는 관상동맥에서는 도리어 혈관 수축이 일어나는 현상을 관찰함으로서 혈관내피세포의 기능을 평가한다. 그러나 이 방법은 실제 임상에서 적용하기가 어려워서 비침습적이고 재현가능한 기술로 내피세포의 기능을 평가하는 방법들의 필요성이 대두되었다. 혈관내피세포 기능 평가에서 어려운 점은 내피세포의 기

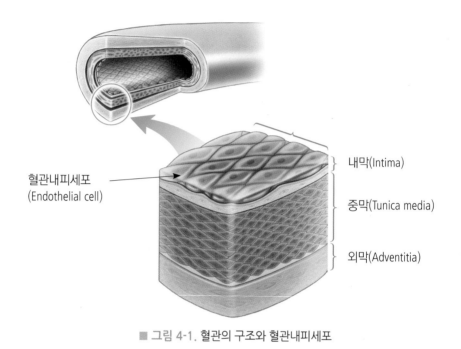

혈관내피세포
(Endothelial cell)

내막(Intima)

중막(Tunica media)

외막(Adventitia)

■ 그림 4-1. 혈관의 구조와 혈관내피세포

능 변화가 죽상 경화증의 초기 단계이므로 혈관의 구조적인 이상을 확인하기 어렵고 NO
는 반감기가 매우 짧아서 측정하기 힘들다는 것이다. 따라서 혈관의 반응성을 평가하는 방
법으로 상완의 말초 혈관에서 혈류 매개 혈관 확장 반응(flow mediated dilation, FMD)
을 측정하는 것이 고안되었으며, 현재 가장 흔히 이용되고 있다.

II. 검사의 원리

혈관을 막아서 혈류를 강제로 멈추게 한다. 이후 혈관을 갑자기 풀어주면 혈류가 빠르
게 흐르면서 혈관 내벽에 전단 응력(shear stress)이 증가하게 된다. 이에 대한 반응으로
내피세포에서 NO synthase가 활성화되며, NO가 생성된다. NO는 혈관 평활근 세포에서
guanylate cyclase를 활성화시키고 GTP가 cGMP로 변환된다(그림 4-2A). 이런 과정을 통
해서 혈관 평활근 세포의 이완이 일어난다(그림 4-2B).

III. 검사 전 준비 사항

1) 피험자는 비타민 제제, 여성 호르몬 제제 등을 적어도 2개월 동안은 복용하지 않은 상

태인 것이 좋다.

2) 피험자는 아스피린이나 진통소염제 등은 검사 10일 전부터는 복용하지 않도록 한다.

3) 피험자는 검사 12시간 이전에는 음주, 흡연, 카페인 섭취 등을 하지 않으며 검사 전날 저녁 식사 이후 금식을 유지한다.

4) 피험자는 일반적으로 약제에 의한 영향을 최소화하기 위해서 혈관 확장제는 적어도 48시간 전에 중단한다.

III. 검사 방법

검사의 일반적인 방법은 다음과 같다. 검사하고자 하는 상완동맥에서 혈관 내경을 측정한다. 팔의 팔뚝에 커프를 감고 높은 압력으로 팽창시켜서 혈관을 막아서 혈류를 멈추게 한다. 충분히 시간이 흐른 뒤에 팽창된 커프를 풀어주면 혈관이 열리면서 혈류가 흐르면서 혈관 내벽에 전단 응력을 발생시킨다. 이 때 상완동맥의 내경을 측정하고 처음에 측정한 내경과 비교한다(그림 4-3). 기존의 FMD 측정법은 일반적으로 사용되는 초음파 기계의 고해상도 초음파 선형 탐촉자(linear transducer)로 피험자의 우측 상완동맥의 영상을 얻는 것이다. 그러나 이를 위해서는 숙련된 검사자가 필요하며, 같은 위치의 상완동맥에 탐촉자를 반복해서 위치시키기 어렵기 때문에 혈관 직경 측정의 재현성이 떨어진다는 단점이 있다. 최근에는 일반적인 초음파 기기를 이용한 FMD 측정의 기술적 단점을 극복하기 하고자 상완동맥을 H 모양의 탐촉자로 스캔하는 반자동 초음파 기기(UNEXEF18VG, 그림 4-4)가 개발되어 임상적 활용성이 검증된 바가 있다. 본 매뉴얼에서는 이 기기를 이용하여 FMD를 측정하는 방법을 기술하겠다.

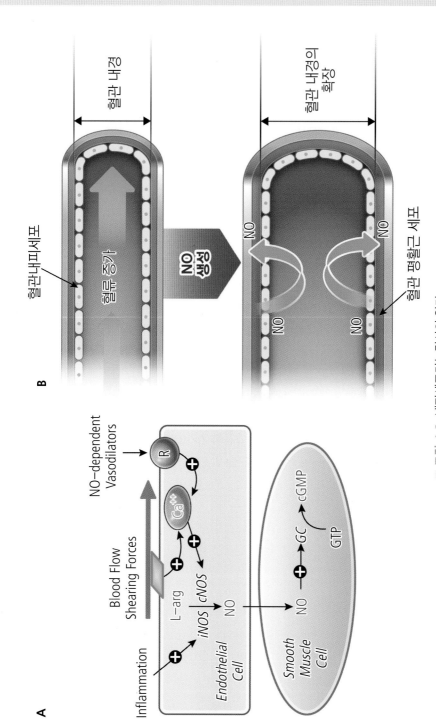

■ 그림 4-2. 내피세포기능검사의 원리

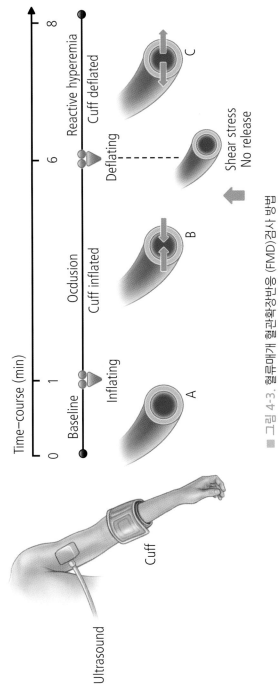

■ 그림 4-3. 혈류매개 혈관확장반응 (FMD) 검사 방법

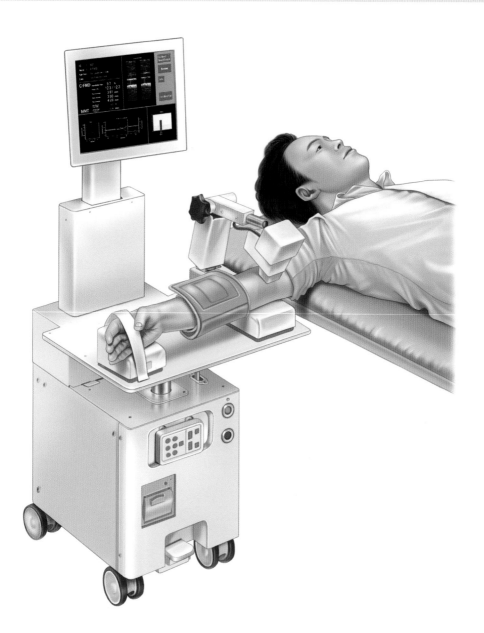

■ 그림 4-4. H 탐촉자를 이용한 반자동 FMD 측정법

1) 피험자들은 조용하고 어두운 22-25℃의 실내에서 5분간 앉아서 대기한다.

2) 이후 같은 장소에서 15분간 누운 상태로 휴식을 취한다.

3) 폐쇄 커프(occlusion cuff)를 팔뚝에 감는데, 커프의 근위부는 팔꿈치에 위치하도록 한다.

4) 고해상도 탐촉자를 상완동맥에 위치시키고 종축의 상완동맥 영상을 얻는다.

5) 영상을 얻는 동안 피험자가 움직이지 않도록 하며, B-mode에서 혈관 내강이 깨끗하게 보이는지, A-mode에서 intima-media complex 신호가 명확하게 관찰되는지를 확인한다(그림 4-5).

6) 수축기혈압보다 50 mmHg 이상의 압력으로 폐쇄 커프를 팽창한다.

7) 커프가 팽창하고 5분 후에 자동으로 커프에서 공기가 빠지고 3분 후에 고해상도 탐촉자로 상완동맥의 영상을 얻는다.

8) 커프 팽창 전 영상의 상완동맥 직경을 기준으로 하여 FMD를 계산한다.

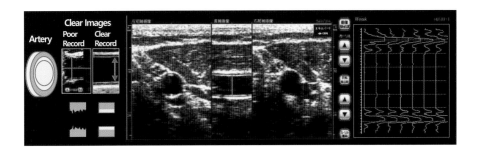

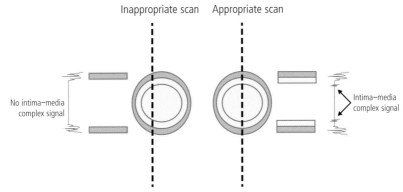

■ 그림 4-5.상완동맥의 초음파 영상(B-mode와 A-mode)과 부적절 및 적절한 스캔의 예

IV. 검사 결과의 보고

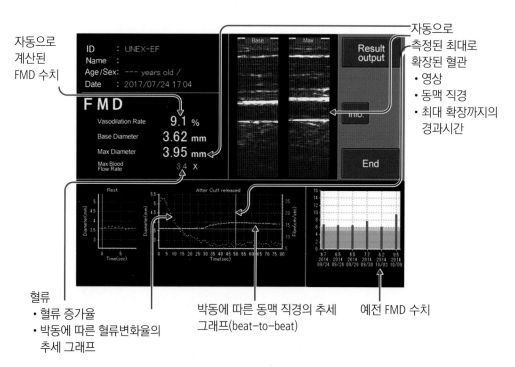

■ 그림 4-6. 검사 결과 보고

V. 검사 결과의 해석

혈류량이 증가하게 되면 내피세포에 전단 응력(shear stress)이 가해지고 이에 반응하여 내피세포는 NO를 생성한다. NO는 혈관 평활근에 작용하여 혈관의 확장이 일어나게 된다. 상완동맥의 내피세포 기능과 관상동맥의 내피세포 기능은 밀접한 관련성을 보이는 것은 입증되어 있으며, 관상동맥의 내피세포 기능 저하와 상완동맥의 내피세포 기능 저하는 모두 심혈관 사건과 독립적인 예측인자이다(그림 4-7).

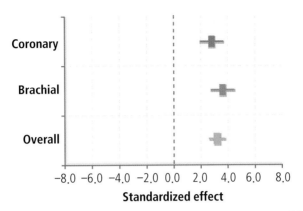

■ 그림 4-7. 관상동맥과 말초동맥의 내피세포 기능과 심혈관 사건의 관련성을 보고한 연구들의 다변량 분석 결과

최근 일본에서 진행되었던 FMD-J 연구에서 30-74세의 심혈관질환이나 위험인자가 없었던 사람들을 대상으로 했을 때 FMD의 중위값은 7.2% (IQR 5.2%-9.1%) 이었다. 그리고 심혈관질환의 위험인자 또는 심혈관질환을 가지고 있는 사람들을 구분하는 경계값은 7.1%였다. FMD가 4%미만인 경우 미래 심혈관질환의 발생이 유의하게 높다는 보고가 있었으며 FMD-J 연구에서 관상동맥 질환을 가진 사람들의 FMD 중위값은 4.5% (IQR 2.8-6.3%)였다. 따라서 Japanese Society for Vascular Failure은 FMD가 7% 이상이면 정상, 4-7%이면 경계, 4% 미만이면 비정상으로 정의할 것을 제시하고 있다. 그러나 아직까지 FMD에 대한 연구들은 소규모의 짧은 관찰 연구들이 대부분이었기 때문에 환자 진료에 이용하기에는 다소 근거가 부족하다는 것이 일반적인 견해이다. 따라서 FMD가 앞으로 더욱 활발히 활용되기 위해서는 FMD의 유용성 입증을 일차 연구 목적으로 하는 보다 큰 규모의 장기간의 추적 연구가 필요할 것이다.

참고문헌

1. Deanfield JE, Halcox JP, Rabelink TJ. Endothelial function and dysfunction: testing and clinical relevance. Circulation 2007;115:1285-95.

2. Lerman A, Zeiher AM. Endothelial function: cardiac events. Circulation 2005;111:363-8.

3. Harris RA, Nishiyama SK, Wray DW, et al. Ultrasound assessment of flow-me-

diated dilation. Hypertension 2010;55:1075-85.

4. S N Doshi, K K Naka, N Payne, et al. Flow-mediated dilatation following wrist and upper arm occlusion in humans: the contribution of nitric oxide. Clin Sci (Lond) 2001;101:629-35.

5. Halcox JP, Donald AE, Ellins E, et al. Endothelial function predicts progression of carotid intima-media thickness. Circulation 2009;119:1005-12.

6. Tatsuya Maruhashi, Junko Soga, Noritaka Fujimura, et al. Relationship between flow-mediated vasodilation and cardiovascular risk factors in a large community based study. Heart 2013;99:1837-42.

7. Yeboah J, Folsom AR, Burke GL, et al. Predictive value of brachial flow-mediated dilation for incident cardiovascular events in a population-based study: the multi-ethnic study of atherosclerosis. Circulation 2009;120:502-9.

8. Ryan A Harris, Steven K Nishiyama, D Walter Wray, et al. Ultrasound assessment of flow-mediated dilation. Hypertension 2010;55:1075-85.

9. Hirofumi Tomiyama , Takahide Kohro, Yukihito Higashi. Reliability of measurement of endothelial function across multiple institutions and establishment of reference values in Japanese. Atherosclerosis 2015;242:433-42.

10. 한승환, 박정범, 고광곤. Flow Mediated Dilation. Clinical Vascular Medicine(임상혈관학)

자율신경검사

Autonomic Function Test

서울의대 **이희선** / 충남의대 **박재형**

자율신경검사

Autonomic Function Test

서울의대 **이희선** / 충남의대 **박재형**

I. 개요

1. 자율신경계(Autonomic nervous system)란?

자율신경계는 말초신경계의 일부로 크게 교감신경계(sympathetic nervous system)와 부교감신경계(parasympathetic nervous system)로 구성되며, 화학전령(chemical messenger)을 분비하여 혈압, 맥박, 체온, 호흡 등의 활력징후를 조절하고, 위장관계, 비뇨기계, 생식계 및 동공 등 주요 장기의 기능을 조절한다. 이는 내분비계, 면역계와 함께 작용하여, 신체 내, 외부의 자극에 대해 신체기관과 기관계의 항상성(homeostasis) 유지를 돕는다. 무의식적으로 일어나기 때문에 일반적으로 개개인은 자율신경계의 활동을 인식하지 못한다.

2. 자율신경기능이상(Dysautonomia)

자율신경계 이상은 자율신경전달경로를 침범하는 다양한 질환의 결과로 발생할 수 있다. 임상의는 자율신경기능이상을 시사하는 증상이 있을 때, 이 증상이 자율신경계 이상으로 인한 소견인지 평가할 필요가 있다. 자율신경기능이상을 시사하는 대표적인 증상은 기립성저혈압(orthostatic hypotension), 열불내성(heat intolerance), 비정상적 발한, 변비, 설사, 실금, 성기능 장애, 안구건조, 구갈, 시야조절상실(loss of accommodation), 불균등한 동공 등이 있지만, 비특이적이기 때문에 원인을 정확히 평가해야 한다.

II. 자율신경검사

1. 자율신경검사의 적응증

① 전체적인 자율신경부전(generalized autonomic failure)이 의심될 때

② 제한된 자율신경병증을 진단할 때

③ 원위부 소섬유 신경병증(distal small fiber neuropathy)이 의심될 때

④ 기립성불내성(orthostatic intolerance)을 진단할 때

⑤ 실신(syncope)에서 신경병증의 근거를 찾고자 할 때

⑥ 말초신경병증(peripheral neuropathy)에서 자율신경의 침범 정도를 평가할 때

⑦ 신경병증의 경과 및 치료반응을 평가할 때

⑧ 교감신경 매개성 통증(sympathetic mediated pain)에서 교감신경장애를 평가할 때

2. 자율신경검사를 위한 환자의 사전준비

① 검사결과에 영향을 줄 수 있는 약물 중단

  - 일반적으로 항콜린성 약물, 교감신경/부교감신경 흥분제는 검사 48시간 전 중단

  - 반감기 짧은 교감신경 흥분제는 검사 24시간 전 중단

  - 마약류를 포함한 진통소염제는 검사 당일만 중단

  - 스테로이드는 유지해도 무방

② 스타킹, 코르셋, 꽉 끼는 옷 등 신체를 압박하는 의류 착용 금지

③ 검사 24시간 전 과격한 운동 금지

④ 검사 3-4시간 전 커피, 흡연 금지

⑤ 검사 전 방광을 비울 것

III. 심혈관계 자율신경검사

1. 능동기립검사(Active standing test)

1) 검사대상

권고안	COR	LOE
초기 실신 평가에서 누운 자세에서 기립을 하는 3분 동안 혈압과 심박수를 주기적으로 측정해야 한다.	I	C
기립성저혈압 초기 상태와 같이 순간적인 혈압 변동이 의심되는 경우에는 연속적인 혈압 및 맥박 측정이 필요하다.	IIb	C

COR: class of recommendation, LOE: level of evidence

2) 검사방법

① 환자는 조용하고 쾌적한 방으로 들어와 침대에 편안히 누운 자세로 안정을 취한다.

위팔에 혈압계를 착용하고 주기적으로 혈압과 심박수를 측정한다.

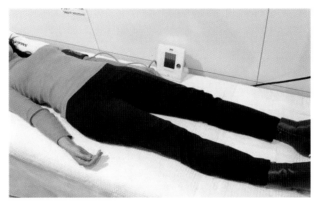

■ 그림 5-1. 능동기립검사 시작 전 준비자세를 취하고 있는 중이
다. 자극 없는 조용한 환경에서 혈압과 심박수를 측정한다.

② 팔, 다리의 큰 움직임 없이 침대 옆으로 일어선 직후(0분), 2분, 5분, 10분째의 혈압
과 맥박수를 측정한다.

3) 결과해석

- 기립성저혈압이나 체위기립성빈맥증후군(postural orthostatic tachycardia
  syndrome, POTS) 진단에 가장 적합
- 검사 양성
  ① 수축기혈압이 20 mmHg 이상 감소하거나 이완기혈압이 10 mmHg 이상 감소
  ② 수축기혈압이 90 mmHg 미만으로 감소
  ③ 기립 후 10분 내에 심박수가 기저보다 >30회/분 증가하거나 120회/분 초과하여
    빨라짐

진단 기준	COR	LOE
기립성저혈압: 기립 시 증상을 동반한 혈압 저하(수축기혈압이 20 mmHg 이상 감소하거나, 이완기혈압이 10 mmHg 이상 감소하거나 혹은 수축기혈압이 90 mmHg 미만으로 감소)가 확인되는 경우 진단	I	C
기립성저혈압: 검사 중 증상이 없더라도 병력상 이에 합당한 증상을 가진 환자에서 혈압 저하(수축기혈압이 20 mmHg 이상 감소하거나, 이완기혈압이 10 mmHg 이상 감소하거나 혹은 수축기혈압이 90 mmHg 미만으로 감소)가 확인되는 경우 고려	IIa	C

진단 기준	COR	LOE
기립성저혈압: 병력상 합당한 증상이 없더라도 검사 중 증상을 동반한 혈압 저하 (수축기혈압이 20 mmHg 이상 감소하거나, 이완기혈압이 10 mmHg 이상 감소하거나 혹은 수축기혈압이 90 mmHg 미만으로 감소)가 확인되는 경우 고려	IIa	C
체위기립성빈맥증후군: 기립성저혈압이 없는 상태에서 증상을 동반한 심박수가 상승(기립 후 10분 이내에 심박수가 기저심박수보다 분당 30회 초과 증가하거나 분당 120회 초과하여 빨라짐)하는 경우 의심	IIa	C
기립성저혈압: 병력상 합당한 증상이 없더라도 검사 중 무증상의 혈압 저하(수축기 혈압이 20 mmHg 이상 감소하거나, 이완기혈압이 10 mmHg 이상 감소하거나 혹은 수축기혈압이 90 mmHg 미만으로 감소)가 확인되는 경우 고려	IIb	C

2. 기립경사검사(Head-up tilt test, HUT)

1) 검사대상

권고안	COR	LOE
반사성실신, 기립성저혈압, 체위기립성빈맥증후군, 혹은 심인성가성실신(psychogenic pseudosyncope)이 의심되는 경우 시행해 볼 수 있다.	IIa	B
환자에게 증상을 인지하고 실신 방지를 위한 물리적 조치 방법을 교육하는 목적으로 시행해 볼 수 있다.	IIb	B

2) 검사금기
① 통증으로 오래 서 있을 수 없을 때
② 관상동맥, 경동맥, 뇌혈관, 좌심실유출로 등의 심한 협착, 대동맥축착(coarctation of aorta), 승모판협착
③ 최근 6개월 이내의 심근경색 또는 뇌경색, 일과성허혈발작

3) 검사방법
① 환자는 조용하고 쾌적한 방으로 들어와 경사대에 편안히 누운 자세로 심전도와 위팔에 혈압계, 반대쪽 손가락에 수지부 혈압감시기(finometer)를 장착하고 확인한다. 최소 5분간(정맥주사를 했다면 최소 20분간) 안정 자세를 취하며 기준점을 기록한다.

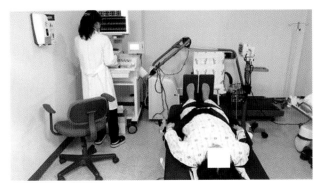

■ 그림 5-2. 자극 없는 조용한 환경에서 경사대에 누워 안정을 취한다.

② 환자의 발을 어깨너비만큼 벌려 테이블의 발판에 올려놓도록 한다.
③ finometer를 장착한 팔은 손등을 위로 해서 상지를 심장과 같은 높이로 유지하도록
한다.
④ 안전띠는 환자의 상부 허벅지와 무릎 주변으로 고정한다.
⑤ 한 번의 부드러운 연속 동작으로 환자를 70°까지 기립시킨다.

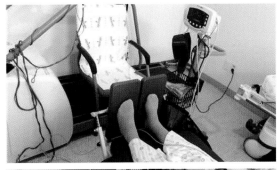

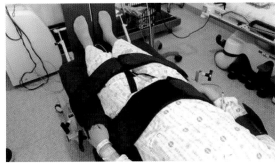

■ 그림 5-3. 발 받침대에 양발은 붙이고, 상부 허벅지와 무릎 주변을 고정한다.

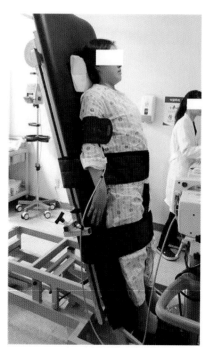

■ 그림 5-4. 경사대의 각이 70°가 되도록 부드럽게 기
립시킨다. 증상 유발이 되는지 관찰한다.

⑥ 수동혈압기로 1분, 3분, 5분, 10분에 혈압을 측정한다. 만약 환자가 증상을 호소하
는 경우, 혈압이 20/10 mmHg 이상 감소하거나 혹은 과도하게 상승하는 경우에는,
기립 상태에서 혈압을 좀 더 자주 측정한다. 검사 중 실신 전단계(presyncope)나 실
신이 있거나 무수축(asystole) 등 심전도가 심각하게 변하는 경우를 제외하고 최소한
5분 이상 기립자세를 유지할 것이 권고된다.

> **※주의!!** 검사 중 1분 이상 지속되는 긴 무수축이 보고된 바 있지만, 이는 합병증보다는 양성으
> 로 평가된다. 실신이나 무박동 등의 상황이 발생할 경우, 심폐소생술이 필요한 경우까지 가는
> 경우는 거의 없지만, 생체징후 안정화를 위해 즉시 누운 자세로 되돌려야 하며 즉각적인 하지
> 거상(leg elevation)을 하도록 추천된다.

⑦ 단순 기립 중 음성일 경우, isoproterenol 정맥주사나 nitroglycerin 설하정에 의한
약물 유발 검사를 시행한다. 이 때 민감도는 증가하지만 특이도가 감소할 수 있으니
참고해야 한다.
  - Isoproterenol 정맥주사 투여 방법: 기립 상태에서 심박수가 기저보다 20-25% 증
    가하도록 1 µg/분부터 3 µg/분까지 점진적으로 증가시킨다.

- Nitroglycerine 설하정 투여 방법: 기립 상태에서 400 μg 고정 용량을 설하 투여한다.

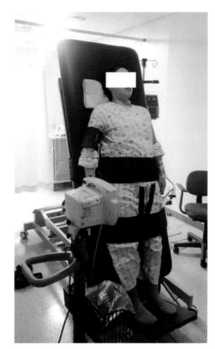

■ 그림 5-5. 단순기립 시 음성반응이라면 유발약
물을 투약하고 반응을 확인할 수 있다.

⑧ 검사가 종료되면 부드럽게 테이블을 눕힌다. 누운 상태에서 30초 이상 쉰 이후 혈압
을 다시 한 번 더 측정한다.

4) 결과해석
- 기립성저혈압이나 체위기립성빈맥증후군(POTS) 진단에 가장 적합
- 검사 양성
  ① 기립 3분내에 수축기혈압이 20 mmHg 이상 감소하거나 이완기혈압이 10 mmHg
  이상 감소
  ② 기립 후 10분 내에 심박수가 기저보다 >30회/분 증가하거나 120회/분 초과하여
  빨라짐

- 결과에 따른 실신의 분류법

분류	진단 기준
제 1 혼합형 (Type 1 Mixed)	- 실신 유발 시 심박수가 하강하되 40회/분 이하는 아니고, 40회/분 이하 이더라도 10초 미만이며, 무수축은 없거나 3초 미만이다. - 혈압은 심박수가 감소되기 전에 하강한다.
제 2A 무수축을 동반하지 않은 심장억제형 (Type 2A Cardioinhibition without asystole)	- 심박수 40회/분 이하가 10초 이상이나, 무수축은 없다. - 혈압은 심박수가 감소되기 전에 하강한다.
제 2B 무수축을 동반하는 심장억제형 (Type 2B Cardioinhibition with asystole)	- 무수축이 3초 이상 지속된다. - 혈압은 심박수 감소와 동시에 또는 심박수가 감소되기 전에 하강한다.
제 3 혈관억제형 (Type 3 Vasodepression)	실신 당시 심박수가 검사 중 최고치에서 10% 이상 하강하지 않는다.

3. 심호흡검사(Deep-breathing test)에 따른 심박반응

심장의 부교감신경인 심장미주기능(cardiovagal function) 평가를 위한 방법으로 신경기인성 기립성저혈압(neural mediated orthostatic hypotension)이 의심되는 경우 고려한다.

1) 검사방법

① 환자는 조용하고 쾌적한 방으로 들어와 침대에 편안히 누운 자세로 앞 가슴에 심전도와 respirator를 부착한다.

② 검사 시작 1분 전 기저 심전도를 시행한다.

③ 환자에게 입을 다물고 코를 통해 5초간 들숨, 5초간 날숨을 쉬도록 하여, 분당 6회의 호흡을 하도록 교육한다. 호흡은 규칙적이고 지속적이어야 하며, 갑작스러운 들숨/날숨 및 숨 참기, 과호흡을 피해야 한다.

③ 호흡 1회의 들숨의 끝과 날숨의 끝에서 확인되는 심박수를 확인하여 호흡성부정맥(respiratory sinus arrhythmia, RSA)을 계산한다.

2) 결과해석

① 호흡성부정맥의 진폭(amplitude)을 계산하여 심장의 부교감신경계 기능 저하 정도

를 평가할 수 있다.

② 호흡성부정맥의 진폭 계산방법은 그림 5-6과 같다.

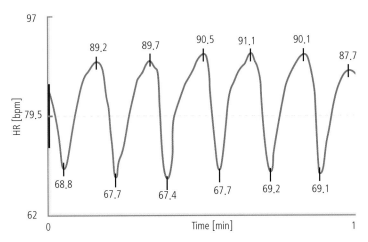

■ 그림 5-6. 평균 호흡성부정맥 진폭 = 21.4

= [(89.2-68.8)+(89.7-67.7)+(90.5-67.4)+(91.1-67.7)+(90.1-69.2)+(87.7-69.1)]/6

③ 정상범위

연령대(살)	정상 호흡성 부정맥 진폭의 최소값(회/분)
10–29	≥14
30–39	≥12
40–49	≥10
50–59	≥9
60–69	≥7

4. 발살바법(Valsalva maneuver)에 따른 혈압-심박반응

발살바법에 따른 혈압의 변화로 교감신경기능을 평가하고, 심박수의 변화로 부교감신경기능을 평가한다. 신경 기인성 기립성저혈압이 의심되는 경우 고려한다.

1) 검사방법

① 사용할 호기압 측정기(expiratory pressure device)는 5-10 cc 플라스틱 빈 주사기에 압력 게이지를 연결해서 주사기 안에 숨을 불어넣는 방식으로 쉽게 만들 수 있다.

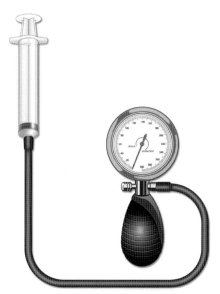

■ 그림 5-7. 빈 플라스틱 syringe와 압력계를 연결하여 사용한다.

② 환자는 조용하고 쾌적한 방으로 들어와 침대에 편안히 누운 자세로 심전도와 손가락에 finometer의 커프를 감고 확인한다.

③ 환자가 발살바법에 익숙해질 수 있도록 짧게 몇 차례 연습을 하도록 한다.

④ 연습 후 1분 가량 이완하여 편히 쉬도록 한다. 이 때 대화와 웃음, 특히 기침을 하지 않도록 해야 한다.

⑤ 환자에게 깊은 들숨을 마신 후 주사기 안에 숨을 불어넣어 게이지에 측정된 호기압이 40 mmHg (30-50 mmHg 사이)가 된 상태로 15초동안 유지할 수 있도록 한다. 이 때 환자가 압력 게이지를 볼 수 있도록 놓아야 한다. 검사자는 환자의 옆에서 몇 초를 더 유지해야 하는지 카운트를 해준다. 호기압이 충분하지 않을 경우, 좀 더 센 압력을 유지하도록 독려하거나, 발살바법을 재시행하도록 한다.

⑥ 3분을 쉰다.

⑦ ⑤의 방법으로 발살바를 총 3회 반복한다.

⑧ 가장 잘 시행한 회차를 선택해서 필요한 지표를 계산한다.

2) 결과해석

- 기립경사검사에 비해 경한 정도의 교감신경계 이상을 발견할 수 있는 검사이다.

- 아래 그림과 같이 2기의 전반부(II-E)의 중간동맥압(mean blood pressure, MBP)이
  15 mmHg 이상 내려가고 모양이 급격해야 성공적인 발살바법 시행으로 볼 수 있다.

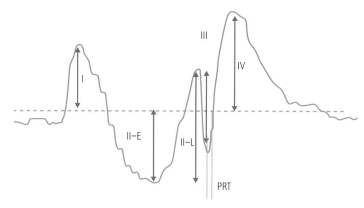

■ 그림 5-8. 성공적인 발살바법 시행 시 관찰되는 중간동맥압의 패턴이다.

- 2기의 전반부(II-E) 혈압이 25 mmHg 이상 떨어진 경우는 전부하(preload)의 감소로
  해석하며, 체액량 감소나 교감신경계 이상을 의미한다.

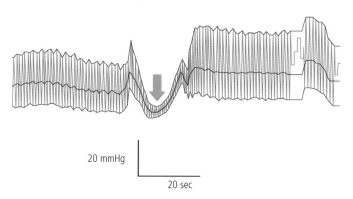

20 mmHg

20 sec

■ 그림 5-9. 전부하의 감소를 시사하는 II-E의 drop이 관찰된다. 교감신경
계이상일 경우 이런 패턴이 관찰될 수 있다.

- 2기의 후반부(II-L)와 4기의 혈압이 기준점 이상으로 오르지 않으면 교감신경계 이상
  으로 해석한다.

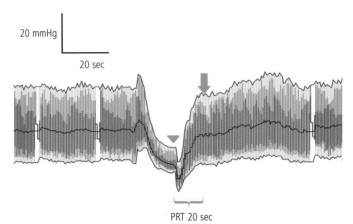

■ 그림 5-10. ll-L의 상승 실패가 관찰된다. 교감신경계 이상일 경우 이런 패턴이 관찰될 수
있다.

- 발살바 비(Valsalva ratio)는 발살바법 시행 중의 최고 심박수를 발살바법 이후 30초 이내
의 최저 심박수로 나눈 값으로 계산하며, 심장의 부교감신경계의 기능 저하 정도를 평가
할 수 있다.

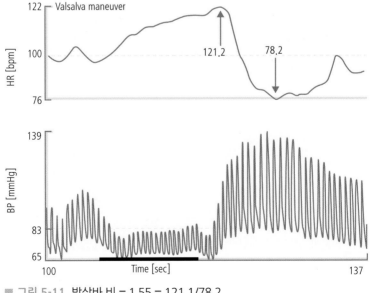

■ 그림 5-11. 발살바 비 = 1.55 = 121.1/78.2

- 정상범위

연령 (세)	정상 발살바 비의 최소값	
	여성	남성
10-29	1.46	1.59
30-39	1.5	1.52
40-49	1.51	1.44
50-59	1.47	1.36
60-69	1.39	1.29

5. 심박변이(Heart rate variability, HRV)

심박은 교감-부교감신경의 균형으로 조절이 되는데, 심박변이는 심장이 예기치 못한 자극에 빠르게 반응하고, 변하는 환경에 적응하는 능력을 반영한다. 이러한 심박변이가 감소된 심혈관계 자율신경기능이상은 부정맥, 급사 등 다양한 심혈관계 질환을 예측, 촉발하는 인자가 된다.

1) 검사방법

① 환자는 조용하고 쾌적한 방으로 들어와 편안히 눕고, 한쪽 발목과 반대쪽 손목에 심전도를 부착한다.

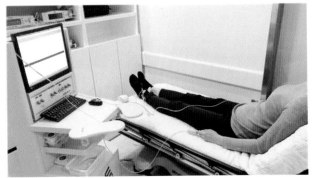

■ 그림 5-12. 자극 없는 조용한 환경에서 한 팔, 한 다리에 전극을 붙여 심전도를 확인한다.

② 단시간 분석(short-term HRV analysis): 자극 없는 5분간의 연속 측정을 권고한다.
③ 장시간 분석(long-term HRV analysis): 24시간의 연속 측정을 권고한다.

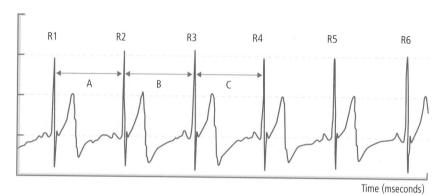

■ 그림 5-13. 각 심장주기의 QRS complex의 R-R interval을 측정하여(A,B,C) 그 값을 기반으로 심박변이 지표들을 계산할 수 있다.

2) 결과해석

① 성별, 연령 등에 따라 값의 차이가 매우 크기 때문에, 정상 수치를 제시하기 보다는 대조군과 통계적으로 비교하여 감소 혹은 증가되었는지를 제시하는 것이 좋다.

② 가장 기본적으로 SDNN(심박변이의 전반적 추정치), HRV triangular index(심박변이의 전반적 추정치), SDANN(심박변이의 장시간 분석에 대한 추정치), RMSSD(심박변이의 단시간 분석에 대한 추정치)까지 네 가지는 사용할 것을 권고하고 있다.

Variable	Units	Description
Time domain, statistical measures		
SDNN	ms	Standard deviation of all NN intervals
SDANN	ms	Standard deviation of the averages of NN intervals in all 5-min segments of the entire recording
RMSSD	ms	The square root of the mean of the sum of the squares of differences between adjacent NN intervals
SDNN index	ms	Mean of the standard deviations of all NN intervals for all 5-min segments of the entire recording
SDSD	ms	Standard deviation of differences between adjacent NN intervals
NN50 count		Number of pairs of adjacent NN intervals differing by more than 50 ms in the entire recording
pNN50	%	NN50 count divided by the total number of all NN intervals
Time domain, geometric measures		
HRV triangular index		total number of all NN intervals divided by the height of the gistogram of all NN intervals measured on a discrete scale with bins of 1/128 s
TINN	ms	Baseline width of the minimum squard difference triangular interpolation of the highest peak of the histogram of all NN intervals
Differential index	ms	Difference between the widths of the histogram of differences between adjacent NN intervals measured at selected heights
Logarithmic index	ms^{-1}	Coefficient ø of the exponential curve $ke^{-\varnothing}$, which is the best approximation of the histogram of absulute differences between adjacent NN intervals
Frequency domain, short-term rcordings (5 min)		
Total power	ms^2	Variance of all NN intervals ($\approx \leq 0.4$ Hz)
VLF	ms^2	Power in VLF range (f ≤ 0.04 Hz)
LF	ms^2	Power in LF range ($0.04 \leq$ f ≤ 0.15 Hz)
LF norm		LF power in normalized units: LF/(Total power − VLF) × 100
HF	ms^2	Power in HF range ($0.15 \leq$ f ≤ 0.4 Hz)
HF norm		Ration LF/HF

▦ 그림 5-14. 계속

Frequency domain, long-term recordings (24h)		
Total power	ms^2	Variance of all NN intervals ($\approx \leq 0.4$ Hz)
ULF	ms^2	Power in the ULF range (f ≤ 0.003 Hz)
VLF	ms^2	Power in the VLF range ($0.003 \leq$ f ≤ 0.04 Hz)
LF	ms^2	Power in the LF range ($0.04 \leq$ f ≤ 0.15 Hz)
HF	ms^2	Power in the HF range ($0.15 \leq$ f ≤ 0.4 Hz)
α		Slope of the linear interpolation of the spectrum in a log-lon scale (f ≤ 0.01 Hz)

▦ 그림 5-14. 심박변이를 측정할 때 사용되는 지표들로, 서로 밀접한 상관관계를 가지고 있다.

심박변이도 HRV (자율신경계반응) 분석

남 / 30	2019-11-25 / 측정 / 5분 / SHRV

심박변이도 (HRV) 검사는 동방결절고유의 자발성에 자율신경계가 영향을 미쳐 결정되는 심장의 미세한 심박동변화를 검출분석한 것으로 자율신경계의 건강상태, 교감신경과 부교감신경 사이의 상호작용 능력정도를 검사 한 것으로, 이는 스트레스에 대한 신체적 반응 상태를 반영하며 향후 건강상태를 예측하는 지표로 여겨집니다.

Result

Mean HRV:	63.2 bpm	TP(log ms^2):	6.8 (9.25.8 ms^2)
Mean RR:	949.5 ms	VLF(log ms^2):	4.6 (103.3 ms^2)
SDNN:	63.5 ms	LF(log ms^2):	5.9 (355.2 ms^2)
Complexity:	4.0	HF(log ms^2):	6.1 (467.4 ms^2)
RMSSD:	43.7 ms	Morm, LF:	43.2
SDSD:	54.2 ms	Norm, HF:	56.8
pNN 50:	61.1 %	LF / HF :	0.8

교감신경 활성도 (50%)

부교감신경 활성도 (63%)

자율신경계 균형도 (39%)

신체각성도 (43%)

스트레스 저항도 (68%)

0　　　　　50　　　　　100

■ 그림 5-15. 계속

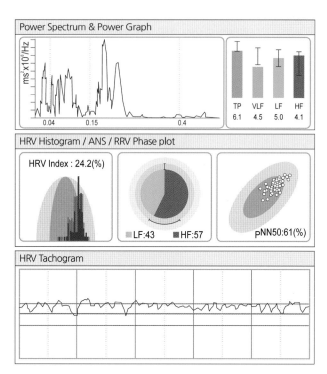

결과해석 가이드 (표준범위는 40-60% 구간으로 이 범위 내에 있으면 평균적입니다.)

교감신경 활성도	표준범위보다 증가한 경우에는 흥분, 긴장 분노상태와 연관이 될 수 있으며, 자율신경계의 제어능력이 저하된 경우에도 증가됩니다. 표준범위보다 저하된 경우는 건강한 사람에서는 편안한 상태를 반영하나, 만성적인 허약 및 피로 스트레스 상태에서도 저하됩니다.
부교감 신경활성도	보통 건강한 사람에서는 이완 혹은 편안한 상태에서 증가하지만 소모성 질환이나 자율신경계 제어능력이 저하된 경우에도 증가됩니다. 표준범위보다 저하된 경우는 급성 및 만성 스트레스, 신체적인 피로, 스트레스 저항력이 감소된 상태와 연관될 수 있습니다.
자율신경계 균형도	자율신경계의 교감/부교감 활성도의 균형상태를 의미하며, 표준범위에서 벗어난 상태가 지속되는 경우 신체적인 이상을 야기할 수 있으므로, 스트레스에 대한 적극적인 관리가 필요합니다.
신체각성도	표준범위보다 높은 경우 심한 불안 및 초조 상태와 연관될 수 있으며, 낮은 경우는 의욕저하, 피로도, 스트레스로 인한 신체증상이 심한 경우를 반영할 수 있습니다.

■ 그림 5-15. 계속

스트레스 저항도	높은 스트레스 저항도는 같은 스트레스에 대해서도 상대적으로 스트레스를 적게 받는다는 것을 의미하지만, 일부 경우에서는 전반적인 자율신경계 불안정과 연관되는 경우도 있습니다. 스트레스 저항도가 표준범위보다 낮은 경우에는 외부 자극에 쉽게 스트레스를 받게 되는 경우로 적극적인 스트레스 관리가 필요합니다.

■ 그림 5-15. 일반적으로 제시되는 심박변이 결과표는 다음과 같다. 다양한 지표를 바탕으로 동일 나이대, 성별의 일반적인 분포와 비교하여 교감-부교감신경의 균형을 평가한다.

참고문헌

1. 박준범, 차명진, 김대혁, 외. 2018년 대한부정맥학회 실신 평가 및 치료 지침 - 총론. Int J Arrhythm 2018;10:126-44.

2. Low PA, Tomalia VA, Park KJ. Autonomic Function Tests: Some Clinical Applications. J Clin Neurol 2013;9:1-8.

3. Jones PK, Gibbons CH. Autonomic function testing: an important diagnostic test for patients with syncope. Pract Neurol 2015;15:346-51.

4. Lee H, Low PA, Kim HA. Patients with orthostatic intolerance: relationship to autonomic function tests results and reproducibility of symptoms on tilt. Sci Rep 2017;7:5706.

5. Thornton HS, Elwan M, Reynolds JA, et al. Valsalva using a syringe: pressure and variation. Emerg Med J 2016;33:748-9.

6. Lee H, Kim HA. Evaluation of Adrenergic Function: Tilt-Table and Valsalva Test. Res Vestib Sci 2018;17:8-12.

7. Brignole M, Moya A, Lange FJ, et al. 2018 ESC Guidelines for the diagnosis and management of syncope. Eur Heart J 2018;39:1883-948.

8. Task Force of the European Society of Cardiology the North American Society of Pacing Electrophysiology. Heart Rate Variability Standards of Measurement, Physiological Interpretation, and Clinical Use. Circulation 1996;93:1043-65.

9. Sassi R, Cerutti S, Lombardi F, et al. Advances in heart rate variability signal analysis: joint position statement by the e-Cardiology ESC Working Group and the European Heart Rhythm Association co-endorsed by the Asia Pacific Heart Rhythm Society. Europace 2015;17:1341-53.

맥박용적기록을 이용한 하지동맥병의 평가

Pulse Volume Recordings (PVR) for Peripheral Artery

을지의대 **박상민** / 전남의대 **김주한**

맥박용적기록을 이용한 하지동맥병의 평가

Pulse Volume Recordings (PVR) for Peripheral Artery

을지의대 **박상민** / 전남의대 **김주한**

I. 하지동맥병의 개요

1. 하지동맥병의 정의와 임상적 중요성

하지동맥병, 즉 동맥경화성 말초혈관질환(peripheral arterial disease, PAD)은 점차 진행하는 협착의 형태로 나타난다. 하지혈관에서는 말단 대동맥, 장골동맥, 대퇴동맥, 오금 및 종아리동맥등이 침범 받게 되면 점차 진행하여 하지파행(claudication)이 나타나고 더 심해지면 안정기에도 다리나 발의 통증을 호소하게 된다. 사소한 외상이나 감염으로 상처가 치유되지 않아 궤양으로 남기도하고 결국 하지의 손실로 이어지게 된다. 또한, 하지의 신체적 문제를 넘어서 우울증을 겪고 삶의 질의 감소를 경험하고 심혈관계의 위험에 노출되게 된다. 증상이 있는 PAD환자의 심근경색 및 뇌졸중을 포함한 치명적이지 않은 심혈관

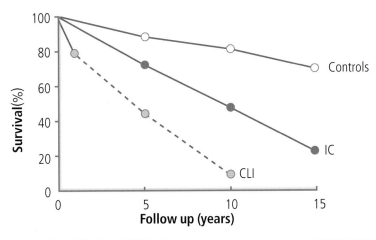

■ 그림 6-1. 말초혈관질환 환자의 생존곡선. IC: intermittent claudication(간헐적 파행), CLI: critical limb ischemia(중증하지허혈)

사건의 5년내 발생률은 약 20%이고, 5년내 사망률은 15-30%에 이른다. 특히, 2주 이상 지속되는 안정기 허혈성 통증이나 치유가 되지 않은 상처나 궤양 또는 괴저(gangrene)가 한쪽 또는 양쪽에 있고 확인된 동맥의 폐쇄가 발견되는 경우를 중증하지허혈(critical limb ischemia, CLI)이라고 하는데, 50세 이상의 PAD환자가 CLI로 내원하였다면 1년 이내에 두다리로 생존할 확률은 50%, 사지절단은 25%, 심혈관질환에 의한 사망률은 25%가 될 정도로 심각한 병이다(그림 6-1).

2. 해부학적 분류 및 병태생리

PAD는 병변이 있는 위치에 따라서 대동맥-장골동맥, 대퇴-오금동맥, 무릎이하동맥으로 세부분으로 분류된다(그림 6-2). 대동맥-장골동맥부분에는 복부대동맥의 신동맥이하에서 시작하여 총 세가지로 장골동맥, 내장골동맥, 외장골동맥이 포함된다. 대퇴-오금동맥부분에는 총대퇴동맥, 심부대퇴동맥, 표재대퇴동맥, 오금동맥이 포함된다. 무릎이하동맥에는 전경골동맥, 후경골동맥, 종아리동맥, 발등동맥, 발바닥동맥이 해당된다. 안정기에 대퇴동맥의 혈류의 속도는 20 cm/sec 이하로 측정된다. 협착이 발생하여 90%이상의 혈관직경이 감소하게 되면 혈류에 문제가 생긴다. 운동 시에 대퇴동맥의 속도는 150 cm/sec까지 증가되게 되는데 동맥혈관이 50% 협착만 있어도 혈류에 이상이 발생한다. 경한 하지파행은 하지혈관 일부분의 협착이 있거나 측부혈행의 발달과 관련이 있고 심한 하지파행이나 CLI는 하지혈관의 여러 병변의 협착과 관련이 있다. 따라서 PAD환자가 표현하는 증상 및 신호를 참조하여 하지혈관의 폐쇄부위를 찾는 것은 PAD의 진단 및 치료계획 수립에 매우 중요한 단계이다.

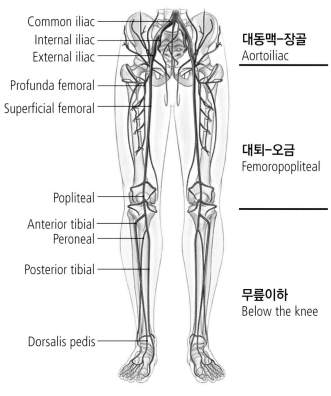

Common iliac
Internal iliac
External iliac

Profunda femoral
Superficial femoral

Popliteal

Anterior tibial
Peroneal

Posterior tibial

Dorsalis pedis

대동맥-장골
Aortoiliac

대퇴-오금
Femoropopliteal

무릎이하
Below the knee

■ 그림 6-2. 하지혈관의 해부학적 3부분 분류

II. PAD의 혈류역학과 검사방법 및 해석

　다양한 부분에서 수축기혈압이나 맥박 볼륨을 측정하는 것은 PAD의 진단에 매우 유용하다. 보통 상완, 근위 대퇴부, 무릎, 종아리, 발목, 발가락에서 측정할 수 있고 도플러 신호를 이용하면 혈류를 더 정확히 측정할 수 있다. 상완과 발목에서 측정한 혈압의 비율인 ABI (ankle-brachial index), 상완과 엄지발가락에서 측정한 혈압의 비율인 TBI를 들 수 있다(그림 6-3-A).

A

Vessel Disease	ABI	TBI	Doppler	PVR
Calcified Vessel	> 1.4	unaffected		
Normal	0.9 – 1.4	> 0.6		
Mild PAD	0.7 – 0.89	0.34 – 0.59		
Moderate PAD	0.51 – 0.69	0.12 – 0.34		
Severe PAD	≤ 0.5	≤ 0.11		

B

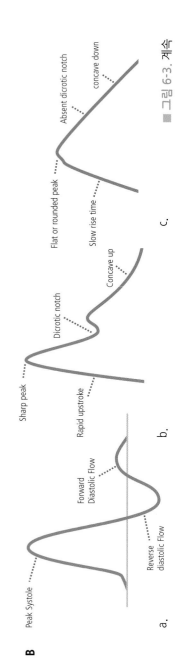

a.
- Peak Systole
- Forward Diastolic Flow
- Reverse diastolic Flow

b.
- Sharp peak
- Dicrotic notch
- Rapid upstroke
- Concave up

c.
- Flat or rounded peak
- Absent dicrotic notch
- Slow rise time
- concave down

■ 그림 6-3. 계속

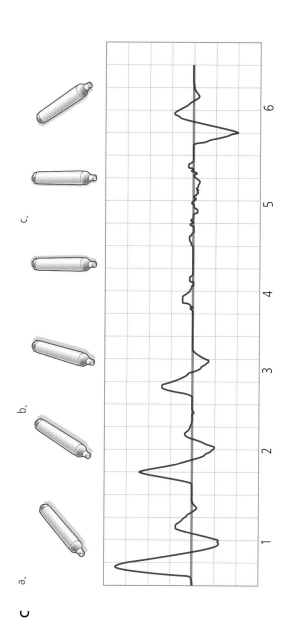

■ 그림 6-3. **A.** ABI, TBI, 도플러 waveform, 및 PVR의 해석. **B.** CW 도플러와 PVR 곡선. (a). 3상(三相)신호. (b). 정상 PVR: 급한 upstroke, 날카로운 정점, 충복맥박패임, 상향어묵 맏단패. (c). 비 정상적인 PVR: 느린 상향시간, 편평해지거나 둥글어진 정점, 충복맥 박패임 없음, 하향어묵 맏단패. **C.** 음측지의 각도에 따른 CW 도플러의 형태. ABI: ankle-brachial index, TBI: toe-brachial index, PVR: pulse volume recording

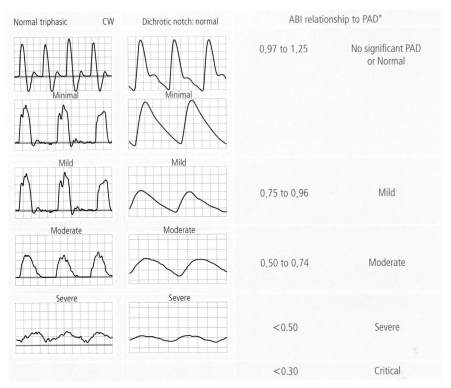

Normal triphasic   CW   Dichrotic notch: normal   ABI relationship to PAD*

| | | | 0.97 to 1.25 | No significant PAD or Normal |

Minimal   Minimal

Mild   Mild   0.75 to 0.96   Mild

Moderate   Moderate   0.50 to 0.74   Moderate

Severe   Severe   <0.50   Severe

                                                          <0.30   Critical

■ 그림 6-4. PAD의 단계에 따른 ABI 및 CW 도플러와 PVR곡선형태의 변화

PAD: peripheral arterial disease, ABI: ankle-brachial index, CW: continuous wave, PVR: pulse volume recording 등

연속 도플러속도(continuous-wave (CW) 도플러 velocity) 측정은 적혈구의 움직임에 대한 음파로 혈류의 속도를 측정하는 방법으로 duplex 초음파의 B-모드로 혈류의 움직임에 대한 정보를 제공한다. CW 도플러을 통해서 본 정상 하지동맥의 속도형태는 3상(三相)신호(triphasic signal with a sharp upstroke and peaked systolic component, an early diastolic component with reversal of flow, and a late diastolic component with forward flow)이다. 혈관을 따라서 분명한 변화구간이 없이 나타나는 이상(二相)신호(biphasic signal)나 단상(單相)신호(monophasic signal)는 비정상으로 본다(그림 6-3-B). 초음파 탐촉자의 혈관에 대한 각도를 30-70도 내에서 비교적 정확한 도플러파형을 얻을 수 있다(그림 6-3-C). 도플러검사는 검사자의 숙련도에 따라 측정결과에 차이가 있고 대동맥-장골 부분에서 결과는 환자의 비만도나 장가스에 따라 정확하지 않을 수도 있고 시간이 많이 걸리는 단점이 있다.

　　맥박용적기록(Pulse volume recording, PVR)은 strain 게이지와 plethysmography 기법을 이용하여 하지의 분절별로 맥박에서 일어나는 혈류용적의 변화를 정량적으로 표현하는 방법이다. PVR은 도플러검사법에 비해서 비교적 검사자의 숙련도에 영향이 적고 시간이 더 적게 걸리는 장점이 있다. 정상 PVR곡선은 rapid upstroke with a sharp peak, a dicrotic notch, and a concave-up late diastolic component로 구성되며 비침습적 검사법 중 CW 도플러 속도곡선과 가장 유사하다고 볼 수 있다. 비정상 PVR의 소견은 파형의 고도(amplitude)가 낮거나, 곡선의 윗정점(peak)이 편평해지거나 중복맥박패임(dicrotic notch)이 없는 형태로 혈관의 폐쇄를 시사하는 소견이다(그림 6-4). 단, 심박출량(cardiac output), 혈관운동성정도(vasomotor tone), 환자의 움직임, 대동맥의 경직도등이 PVR에 영향을 미칠 수 있고, 열에 의해 혈관이 이완될 경우 중복맥박패임이 관찰되지 않을 수 있다. PVR을 도플러파형과 함께 시행하면 PAD의 만성도를 진단하는데 도움이 된다. 급성 혈전성 폐쇄의 경우에 PVR과 도플러파형이 모두 사라지거나 약화되는데 만성 PAD에 측부혈행이 발달된 경우는 PVR파형은 도플러파형에 비해 비교적 보존이 되어 보인다.

III. PVR을 이용한 PAD 진단

　　* **병력청취 및 간단한 신체검사**: 검사 전에 고혈압, 이상지질혈증, 심뇌혈관질환의 병력, 흡연유무, 하지파행의 유무등 PVR검사에 영향을 미칠 수 있는 병력을 철저히 조사한다. 환자의 비만도를 확인하고 커프가 놓일 위치의 피부상태(수술흔적, 상처, 궤양, 과도한 털)를 확인하여 검사에 문제가 없는지를 알아본다. 검사 시작전에 가급적이면 검사부위의 맥박유무를 확인한다. 커프를 감을 위치인 상완, 상위대퇴부, 무릎위(하위대퇴부), 무릎아래(종아리), 발목, 그리고 발등의 부종유무를 확인하고 둘레를 측정한다.

1. 검사장비
PVR을 검사할 수 있는 장비는 전세계적으로 MultiLab Series II LHS (Unetixs Vascular, Rhode Island, USA)가 유일하고 국내에 수입되어 기관에서 검사에 이용되고 있다(그림 6-5).

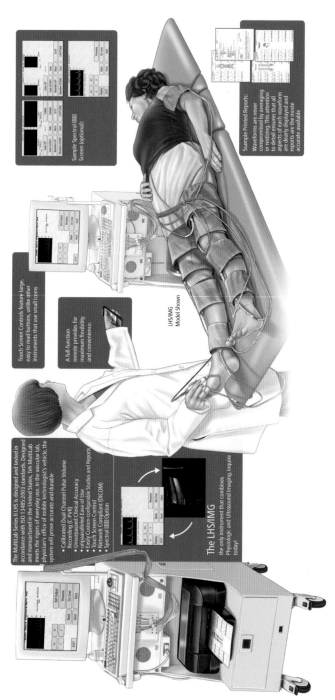

■ 그림 6-5. PVR 측정을 위한 MultiLab® Series II LHS 와 실제 검사 모습

(Courtesy of Untixs Vascular, Rhode Island, USA)

2. 검사실 온도

환자가 편안함을 느낄 수 있는 실온(room temperature, 보통 20-25°C)에서 검사가 이루어져야 한다. 환자가 추위를 느끼게 되면 혈관의 수축이 이루어지게 되어 CW 도플러모양은 정상적으로 이완기전반의 flow reversal이 잘린 듯한 모습이 되고 이완기후반의 전방향 흐름이 거의 관찰되지 않는 모습처럼 보이고 더위를 느끼면 혈관의 이완이 이루어지게 되어 CW 도플러 모양은 이완기전반의 flow reversal이 점차 사라지게 되고 이완기후반의 전방향 흐름이 모두 제로 기저선의 위쪽에 분포하게 된다(그림 6- 6). 특히 검사실이 지나치게 고온일때는 혈관의 이완이 발생하게 되고, PVR 곡선은 중복맥박패임의 소실이 나타나게 되어 검사결과의 해석에 영향을 미칠 수 있으므로 주의하여야 한다. 손발에 추위를 느끼는 환자는 타월이나 담요로 보온을 고려한다.

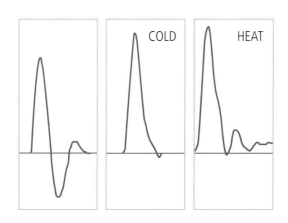

■ 그림 6-6. 검사실 온도에 따른 CW 도플러의 형태변화

3. 환자의 자세

검사대는 편평해야 하고 적당한 베개를 준비하고 누운 자세로 검사를 준비하되 상체가 너무 높아지지 않도록 한다. 앉은 자세와 누운 자세는 중력의 영향으로 PVR에 영향을 미칠 수 있다.

4. 커프 감기

공기 혈량측정계(air plethysmograpy)의 커프를 감는 부위는 상완, 상위대퇴부, 무릎위(하위대퇴부), 무릎아래(종아리), 발목, 그리고 발등으로 총 여섯 군데이나 보통 발등

(metatarsal area)부분은 생략하기도 한다. 전통적으로 대퇴부의 커프는 18x36 cm 크기의 tapered 된 모양의 큰 커프를 사용하였으나 최근에 대퇴부에는 상위와 하위 두 부분에 커프(two cuffs)를 감게 되는데 겹치지 않게 감아야 하고 환자의 키가 작아서 대퇴부에 두 개의 커프를 감을 수 없는 경우에는 하나의 커프(single cuff)만 감는다. 국내에 수입되어 사용되고 있는 제품의 커프 넓이는 상완과 무릎아래와 발목부분은 10 cm, 대퇴부는 둘 다 12 cm, 발등은 7 cm가 일반적으로 사용되고 있다(그림 6-7).

Traditional

Two Cuff

Single Cuff

■ 그림 6-7. 세가지 형태의 공기 혈량측정계(Air plethysmograpy)

5. 분절별 압력측정방법

상완의 커프는 공기튜브가 팔오금에 오게하고 양하지의 커프는 공기튜브가 측면에 위치하도록 한다. 각 공기튜브에 콘솔의 튜브를 연결한다음 팔오금에서 상완동맥과 발목동맥 또는 발등에서 발등동맥과 후경골동맥의 CW 도플러 velocity를 확인한다. 상완과 발의 동맥의 CW 도플러 신호가 최고로 강할 때 커프에 공기를 주입하였다가 빼면서 Korotkoff sound를 이용하여 각각의 수축기혈압을 측정하고 하지/상완 수축기혈압의 비로 ABI값을 구할 수 있다. 필요에 따라 엄지발가락에도 전용 커프를 감고 TBI를 측정할 수도 있다.

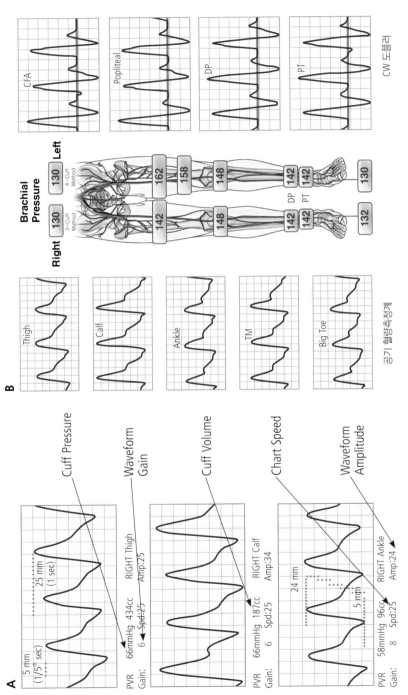

■ 그림 6-8. **A.** PVR곡선의 해석. **B.** 정상하지혈관의 PVR과 CW 도플러곡선의 형태

(CFA: common femoral artery, DP: dorsalis pedis, PT: posterior tibial, TM: tarsometatarsal)

6. PVR의 측정방법

분절별 압력측정방식과 동일한 환자 상태에서 스크린의 PVR 측정메뉴를 터치하고 발목부터 커프에 공기주입을 하고 적절한 압력에서 PVR을 측정하고 종아리부분으로 이동하여 측정을 반복하고 완료 후 무릎 위쪽 부분으로 이동하여 PVR측정을 완료한다. 다리 한쪽에 부종으로 둘레가 늘어나 있으면 PVR이 다른 쪽보다 더 높게 측정되고 근위축으로 줄어들어 있을 때는 더 낮게 측정될 수 있다.

IV. PVR 검사 결과의 해석

1. 정상 하지동맥의 PVR

모든 PVR과 CW 도플러파형이 정상형태를 보인다. 종아리의 파형에서 정상적인 augmentation이 관찰된다. 분절별 혈압측정에 따른 ABI와 TBI값은 각각 Right ABI: DP=1.08; PT=1.09; TBI=1.02, Left ABI: DP=1.09; PT=1.09; TBI=1.00 이다. 결론적으로 안정기에 혈역학적 손상이 없는 정상 하지동맥임을 알 수 있다(그림 6-8-A, B).

2. PAD환자의 PVR
1) 장골동맥의 협착에서 보이는 PVR

모든 레벨에서 수축기 upstroke이 지연되고 파형의 고도가 낮아져 있으며 중복맥박패임이 관찰되지 않는다. CW 도플러파형도 모든 레벨에서 단상형태를 보인다. 분절별 혈압측정에 따른 ABI와 TBI값은 각각 Right ABI: DP=0.71; PT=0.67; TBI=0.53, Left ABI: DP(dorsalis pedis)=0.71; PT(posterior tibial)=0.67; TBI=0.53 이다. 결론적으로 안정기에 중등도의 혈류역학적 장애를 가진 대퇴동맥의 위쪽 레벨의 동맥병이 의심된다(그림 6- 9A).

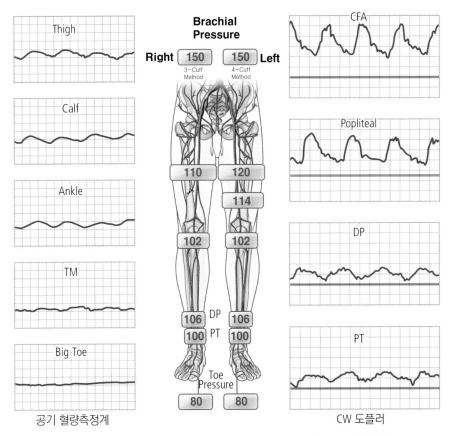

■ 그림 6-9A. PAD 병변의 위치에 따른 PVR과 CW 도플러 곡선의 형태.
aortoiliac lesion(대동맥-장골동맥 병변).

2) 대퇴-오금동맥의 협착에서 보이는 PVR

대퇴동맥까지의 PVR곡선은 정상형태를 보이고 종아리를 포함한 아래의 레벨에서 수축기 upstroke의 지연과 중복맥박패임이 보이지 않고 파형의 고도가 감소되어 있고 종아리 부분의 PVR 파형에 augmentation이 없다. CW 도플러파형은 high resistive 이상파형과 이완기 flow reversal이 관찰되고 오금동맥과 경골동맥의 파형은 단상의 형태이다. ABI와 TBI값은 각각 Right ABI: DP=0.78; PT=0.80; TBI=0.52, Left ABI: DP=0.78; PT=0.80; TBI=0.52로 감소되어 있다. 결론적으로 안정기에 경도의 혈류역학적 장애가 있는 대퇴동맥병이 의심된다(그림 6-9B)

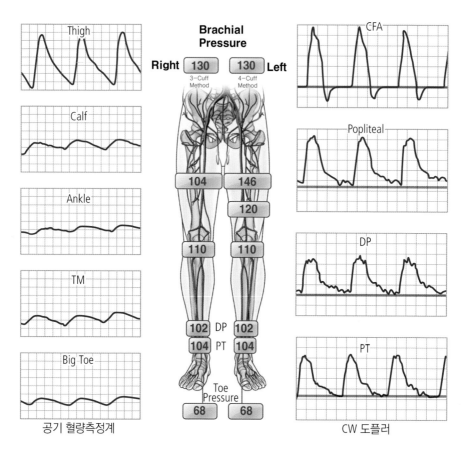

■ 그림 6-9B. PAD 병변의 위치에 따른 PVR과 CW 도플러 곡선의 형태.
Femoropopliteal lesion (대퇴-오금동맥 병변)

3) 무릎아래동맥의 협착에서 보이는 PVR

대퇴부의 PVR파형은 중복맥박패임이 없으나 비교적 정상에 가까운 형태이나 종아리이하 레벨에서 수축기 upstroke의 지연과 파형고도의 감소 및 파형의 elongation이 관찰된다. CW 도플러는 대퇴동맥부에서 high resistive하고 이상형태를 가지나 flow reversal이 관찰된다. 오금동맥은 high resistive 파형과 함께 기세가 꺾인 flow reversal을 보여 그 이하부에서 말초동맥의 저항이 증가되어 있음을 시사한다. 수축기 정점이 분쇄된 보양을 보이는 것은 혈류의 장애를 의미한다. 역위가 된 발등동맥은 측부혈행에 혈류모양을 의미한다. ABI와 TBI값은 각각 Right ABI: DP=0.43; PT=0.59; TBI=0.33, Left ABI: DP=0.43; PT=0.59; TBI=0.33으로 크게 감소되어 있다. 결론적으로 안정기에 심각한 혈류역학적 장애가 있는 중등도 또는 중증의 무릎아래동맥의 폐쇄가 의심된다(그림 6-9C).

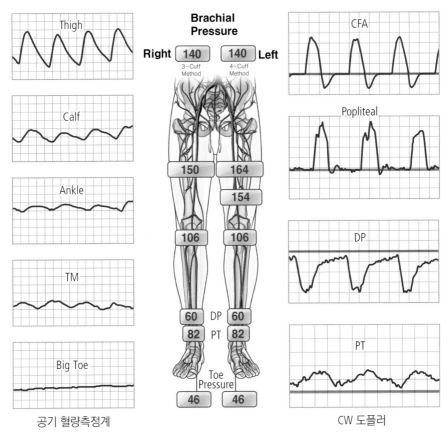

■ 그림 6-9C. PAD 병변의 위치에 따른 PVR과 CW 도플러 곡선의 형태.
Tibioperoneal lesion(경골-비골동맥 병변)

4) 다혈관 하지동맥 협착에서 보이는 PVR

대퇴레벨에서 약간의 upstroke 지연과 맥박중복패임의 소실이 관찰되고 종아리레벨에서 upstroke의 지연과 파형고도의 감소되어 있고 발목과 발등레벨에서 더욱 파형고도가 낮아진다. 발가락파형의 늘어짐 수축기 정점이 둥글게 되어있다. CW 도플러는 고도로 resistive하고 이상의 총대퇴동맥파형이 관찰되는데 이완기 flow reversal이 보이고 혈류의 장애와 와류가 예측된다. 오금동맥부 이하 모든 혈관에서 단상의 파형이 보이고 파형고도의 감소와 파형의 늘어짐이 관찰된다. ABI와 TBI값은 각각 Right ABI: DP=0.40; PT=0.25; TBI=0.20, Left ABI: DP=0.40; PT=0.25; TBI=0.20으로 심하게 감소되어 있다. 결론적으로 골반 안쪽, 대퇴-오금동맥, 무릎아래혈관의 여러 부위에 PAD가 존재하고 안정기에 심한 혈역학적 불안정과 이상이 의심된다(그림 6-9D).

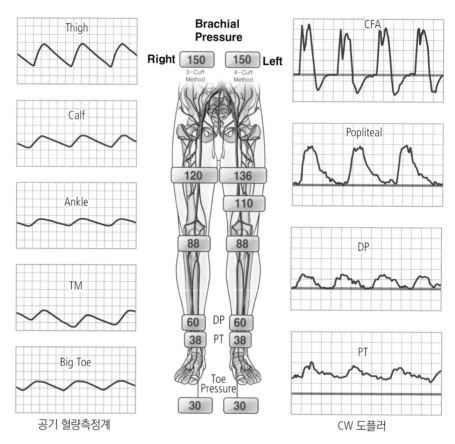

■ 그림 6-9D. PAD 병변의 위치에 따른 PVR과 CW 도플러 곡선의 형태.
다혈관병변.

5) 급성 혈전성 동맥 폐쇄에서 보이는 PVR

대퇴부에서 약한 수축기 upstroke의 지연과 함께 중복맥박패임이 소실되어 보이나 맥박의 형태는 갖추고 있다. 종아리부분에서 의미있는 upstroke의 지연과 파형고도의 감소가 관찰된다. 발목부터 발등까지 레벨에서는 식별할 수 없는 파형이 보인다. CW 도플러에서 감쇠되고 고도로 resistive한 이상파형이 총대퇴동맥부에서 관찰되고 이완기 flow reversal이 약화되어 있다. 오금동맥부에서 단상의 낮은 고도의 파형이 관찰되고 무릎아래부분에서는 식별가능한 파형이 없다. ABI와 TBI값은 각각 Right ABI: DP=0.00; PT=0.00; TBI=0.00, Left ABI: DP=0.00; PT=0.00; TBI=0.00로 측정되지 않는다. 결론적으로 대퇴-오금동맥과 무릎아래동맥의 여러 레벨에 급성 허혈성 폐쇄가 발생하여 하지에 임계적인 혈류역학적 장애가 발생하였다(**그림 6-9E**).

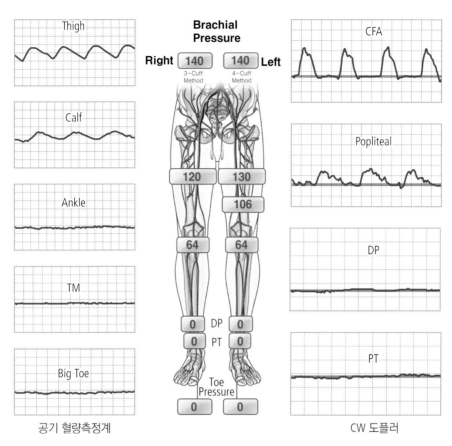

공기 혈량측정계

CW 도플러

■ 그림 6-9E. PAD 병변의 위치에 따른 PVR과 CW 도플러 곡선의 형태.
급성 혈전성 동맥폐쇄 병변

3. PVR검사의 실례

73세 여자환자가 100 m 정도 걸을 때 발생하는 양측 하지의 파행을 주소로 내원하였다. 계통적 문진에서 걸을 때 우측 하지의 통증이 더 심하였다고 하였다. 신체검사에서 양측 발등동맥의 맥박이 모두 약해져 있었으며 오른쪽이 매우 약하였다.

MultiLab® Series II LHS를 이용하여 PVR과 CW 도플러검사를 시행하였다. 결과는 다음과 같았고 대동맥-장골부분의 PAD가 의심되었다.

진단 및 치료를 위해 말초혈관조영술을 시행하였다. 양쪽 총장골동맥부위에 거대한 석회화를 동반한 PAD가 발견되었고 우측 장골동맥의 혈류는 현저히 저하되어 있었다(그림 6-10A). 복부대동맥 말단부와 양측의 총장골동맥에 자가팽창성 nitinol 스텐트 두 개를 삽입하여 막힌 혈관을 성공적으로 개통하였고 cilostazol 100 mg을 일 2회 투여하였다. 시술 후 시행한 추적 PVR과 CW 도플러에서 두가지 파형 모두의 두드러진 개선을 확인할 수 있었다(그림 6-10B).

A

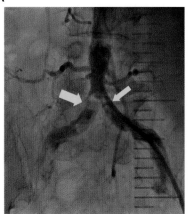

Angiography before PTA

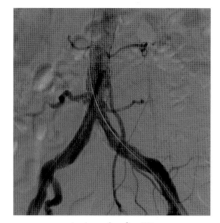

Angiography after PTA

■ 그림 6-10. PAD가 있는 73세 여자환자의 PVR와 CW Doppler 곡선의 변화.
A. 양측장골동맥 폐쇄 환자의 스텐트 시술 전과 후의 혈관조영술 영상(노란 화살표: 폐쇄된 병변)

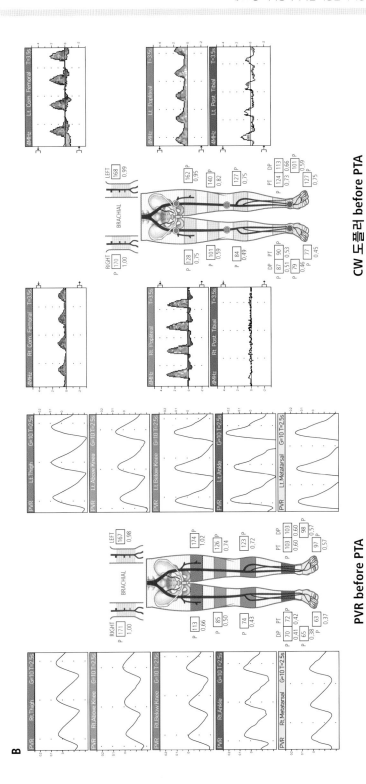

CW 도플러 before PTA

PVR before PTA

■ 그림 6-10. PAD가 있는 73세 여자환자의 PVR와 CW Doppler 곡선의 변화.

B. 시술 전 PVR 및 CW도플러 곡선

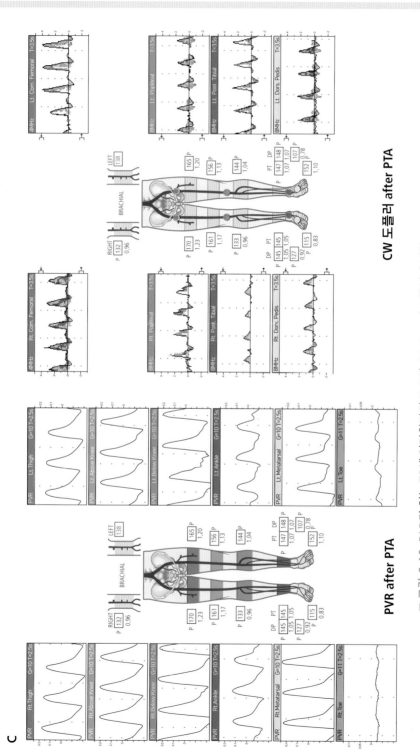

PVR after PTA

CW 도플러 after PTA

■ 그림 6-10. PAD가 있는 73세 여자환자의 PVR와 CW Doppler 곡선의 변화.
C. 시술 후 PVR 및 CW도플러 곡선

참고문헌

1. McDermott MM, Liu K, Greenland P, et al. Functional decline in peripheral arterial disease: associations with the ankle brachial index and leg symptoms. JAMA 2004;292:453-61.

2. Ruo B, Liu K, Tian L, et al. Persistent depressive symptoms and functional decline among patients with peripheral arterial disease. Psychosom Med 2007;69:415-24.

3. Lau JF, Weinberg MD, Olin JW. Peripheral artery disease. I. Clinical evaluation and noninvasive diagnosis. Nat Rev Cardiol 2011;8:405-18.

4. Gerhard-Herman MD, Gornik HL, Barrett C, et al. AHA/ACC Guideline on the Management of Patients With Lower Extremity Peripheral Artery Disease: A Report of the American College of Cardiology/American Heart Association Task Force on Clinical Practice Guidelines. Circulation 2017;135:e726-79.

5. Norgren L, Hiatt WR, Dormandy JA, et al. TASC II Working Group. Inter-Society Consensus for the Management of Peripheral Arterial Disease (TASC II). J Vasc Surg 2007;45:S5-67.

6. Young DF, Cholvin NR, Kirkeeide RL, et al. Hemodynamics of arterial stenoses at elevated flow rates. Circ Res 1977;41:99-107.

7. AbuRahma AF, Bergan JJ. Noninvasive vascular diagnosis: a practical guide to therapy. 2nd ed. London, England: Springer. 2006.

8. Creager MA, O'Leary D, Doubilel P. Noninvasive vascular testing. Boston: Little Brown. 1996:415-43.

9. Kempczinski RF. Segmental volume plethysmography in the diagnosis of lower extremity arterial occlusive disease. J Cardiovasc Surg 1982;23:125-9.

10. Sibley RC 3rd, Reis SP, MacFarlane JJ, et al. Noninvasive Physiologic Vascular Studies: A Guide to Diagnosing Peripheral Arterial Disease. Radiographics 2017;37:346-57.

11. Scissns R, RVT. Physiologic Testing: Techniques and Interpretation. 2nd ed. New York: Unetixs Educational Publishing. 2003.

경동맥 초음파

Carotid Ultrasound

경희의대 **정혜문** / 경희의대 **손일석**

경동맥 초음파

Carotid Ultrasound

경희의대 **정혜문** / 경희의대 **손일석**

I. 개요

경동맥 초음파는 심뇌혈관 질환이 있는 사람 뿐만 아니라 심혈관질환이 없는 사람들에게도 임상발현 전(subclinical) 심혈관 위험도를 예측하기 위해 시행되는 대표적인 검사 중 하나이다. 경동맥 내중막두께(Intima-media thickness, IMT)를 측정하고 동맥경화반(plaque)의 존재 유무를 관찰함으로서 심혈관 위험도를 평가할 수 있고, 동맥경화반이 있는 경우 그 성상을 관찰하고 혈관에 어느 정도의 협착을 일으키는지 평가할 수 있다. 국내외 고혈압 가이드라인에서도 심혈관계 위험도 측정을 위하여 경동맥 초음파를 시행할 것을 권고하고 있다.

경동맥은 좌우 총경동맥(common carotid artery, CCA)에서 시작하여 팽대부(bulb)를 거쳐 내경동맥(internal carotid artery, ICA)과 외경동맥(external carotid artery, ECA)으로 분지한다. 대동맥궁(aortic arch)에서 분지한 팔머리동맥줄기(brachiocephalic trunk)에서 우총경동맥(right CCA)이 분지되며, 좌총경동맥(Lt CCA)은 대동맥궁(aortic arch)에서 바로 분지된다. 경동맥 초음파를 통하여 좌우 총경동맥(CCA)에서 내경동맥(ICA)과 외경동맥(ECA)에 이르는 부위를 관찰할 수 있다.

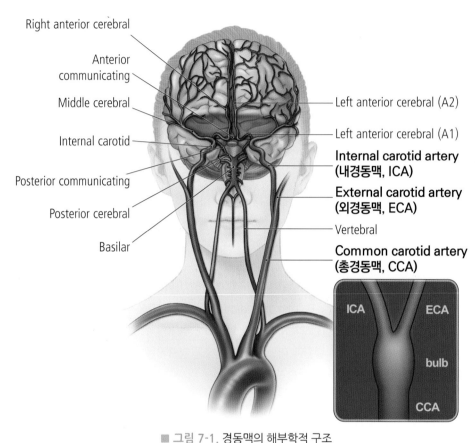

Right anterior cerebral

Anterior communicating

Middle cerebral

Internal carotid

Posterior communicating

Posterior cerebral

Basilar

Left anterior cerebral (A2)

Left anterior cerebral (A1)

Internal carotid artery (내경동맥, ICA)

External carotid artery (외경동맥, ECA)

Vertebral

Common carotid artery (총경동맥, CCA)

ICA ECA

bulb

CCA

■ 그림 7-1. 경동맥의 해부학적 구조

II. 검사 시작 전 준비

경동맥은 대개 피부에서 2-3 cm 정도 깊이에 있으며, 초음파의 탐촉자는 5MHz에서 12MHz의 해상도가 권고되며 주로 7.0MHz 이상의 선형 탐촉자를 사용한다. 환자는 바로 누운 자세를 취하고 목 아래 베개를 두어 환자의 턱이 약간 올라간 자세를 취하고, 좌우 검사를 할 때 방향을 조절하도록 한다. 혈류 주행 방향과 초음파 주사 방향의 각도는 60° 이내가 되도록 한다.

III. 검사 방법

① 경동맥 초음파를 시행할 때는 총경동맥부터 잡고 위로 올라가며 내경동맥과 외경동맥

을 관찰한다. 총경동맥은 목을 따라 평행하게 주행하며 주로 경추 3-4번 레벨에서 내경
동맥과 외경동맥으로 분지된다.

② 총경동맥을 관찰할 때는 처음에 단축 영상으로 확인(그림 7-2A)하여 단축 영상으로 머리
쪽으로 올라가면서 팽대부를 지나 내경동맥과 외경동맥으로 분지하는 것을 확인한다
(그림 7-2B). 이후 다시 총경동맥의 영상을 획득한 위치로 내려가서 종축 영상을 얻는다
(그림 7-2C). 모든 단계의 영상에서 동맥경화반(plaque)의 존재 유무에 대한 판단, 동맥
경화반의 크기 측정 및 성상의 판단이 이루어져야 한다.

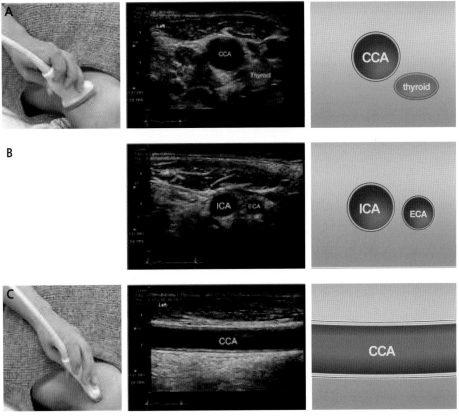

■ 그림 7-2. 경동맥 초음파 영상의 획득(왼쪽 경동맥 검사의 예시) **A.** 단축 영상으로 관찰한
총경동맥 **B.** 단축 영상으로 관찰한 내경동맥과 외경동맥 **C.** 종축 영상으로 관찰한 총경동맥

③ 총경동맥의 종축 영상에서는 내중막두께(intima-media thickness, IMT)를 측정할 수
있다(그림 7-3). 혈관은 내막(intima), 중막(media), 외막(adventitia) 의 세 층으로 구성

되어 있다. 내중막은 내강과 내막의 경계부터 중막(media) 과 외막(adventitia) 의 경계까지의 길이를 측정하며, 총경동맥의 팽대부에서 5-15 mm 앞에서 측정한다. 먼 벽에서 약 10 mm 정도 길이의 내중막두께를 측정한다. 영상을 획득할 때 팽대부를 포함하여 획득하는 것이 좋다. 수동으로 측정하기보다는 자동 또는 반자동 측정방법이 권고되며, point-to-point measurement는 권고되지 않는다. 이완 말기에 좌우 총경동맥에서 모두 측정하여 평균치를 참고하는 것이 권고된다. 한국인의 정상인의 내중막두께는 0.5-0.8 mm 정도이며, 0.9 mm보다 증가된 경우 심혈관계 위험도의 증가와 관계된 것으로 생각된다.

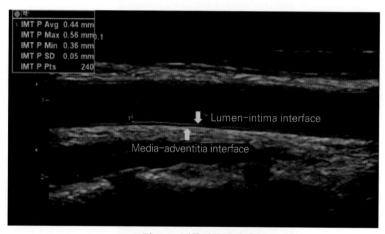

■ 그림 7-3. 내중막두께의 측정

④ 내경동맥은 일반적으로 외경동맥보다 직경이 크지만 모든 환자에서 그렇지는 않고, 외경동맥은 내경동맥에 비해 앞쪽, 안쪽으로 주행하고 내경동맥은 주로 뒤쪽, 바깥쪽으로 주행하나 반드시 그렇지는 않다. 분지하는 위치 및 방향이 사람마다 변이가 있어 일정하지 않다. 따라서 이 두 동맥을 구별할 수 있는 가장 정확한 영상은 도플러 영상이다.

⑤ 도플러 영상 획득 시에는 혈류 주행 방향과 초음파 주사 방향의 각도가 60° 이내가 되도록 조절하여야 정확한 값을 얻을 수 있으며, 표본 용적은 혈관 중앙에 2 mm로 두고 혈류 속도를 측정하도록 한다.

⑥ 내경동맥은 저저항 혈류 파형을 보이며, 수축기 혈류 속도가 느리고 확장기말 혈류 속도가 빠른 모양의 도플러 영상(그림 7-4A)을 획득할 수 있다. 반면 외경동맥은 고저항 혈류 파형(그림 7-4B)이며, 분지가 많고 강한 박동성을 띄는 도플러 영상을 획득할 수 있다. 총경동맥의 도플러(그림 7-4C)는 이러한 두 혈관의 도플러를 합친 모양을 띠고 있다.

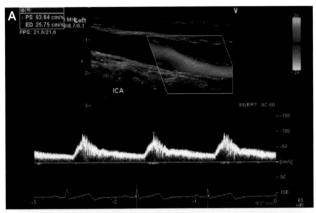

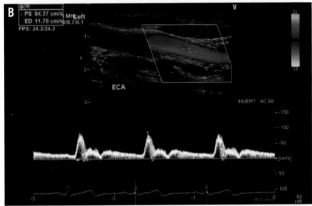

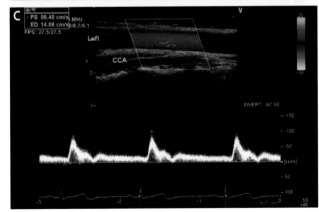

■ 그림 7-4. 경동맥의 도플러 파형

A. 내경동맥 도플러

B. 외경동맥 도플러

C. 총경동맥 도플러

IV. 경동맥 초음파의 비정상 소견

1. 경동맥의 동맥경화반(plaque) 관찰

① 동맥경화반의 정의: 경동맥의 혈관벽에서 내강 쪽으로 적어도 0.5 mm 이상, 또는 그 주변의 내중막두께의 50% 이상의 두께가 돌출한 경우, 또는 내중막두께가 1.5 mm 이상인 경우 동맥경화반으로 정의한다.

② 동맥경화반의 존재 유무는 심혈관계 위험도를 예측하는데 중요하므로 정확히 관찰하여 판단하여야 하며, 동맥경화반이 존재할 경우 그 크기를 정확히 측정하여야 한다. 내중막두께를 측정할 때와 마찬가지로, 내강과 동맥경화반이 시작하는 부위의 경계로부터 외막이 시작되는 부위까지를 측정한다(그림 7-5A).

③ 동맥경화반의 성상을 구별하는 것도 중요하다. 동맥경화반의 내부가 균일한 음영을 나타내는 경우 주로 섬유화되거나 석회화된 동맥경화반으로, 주로 안정적인 동맥경화반이다(그림 7-5B). 석회화된 동맥경화반은 음영이 매우 증가되어 있고 초음파의 투과 장애로 그림자 영상이 생길 수 있다(그림 7-5C). 반면, 균일하지 않은 음영을 나타내는 경우는 석회화가 적고, 경화반 내 출혈 또는 지질의 함량이 많아 음영이 높지 않은 저음영의 동맥경화반(그림 7-5D) 을 포함하는 경우가 많으며, 이러한 경우는 불안정한 동맥경화반인 경우가 많다. 궤양이 형성된 동맥경화반(그림 7-5E) 의 경우도 불안정하고 뇌졸중의 위험을 높인다.

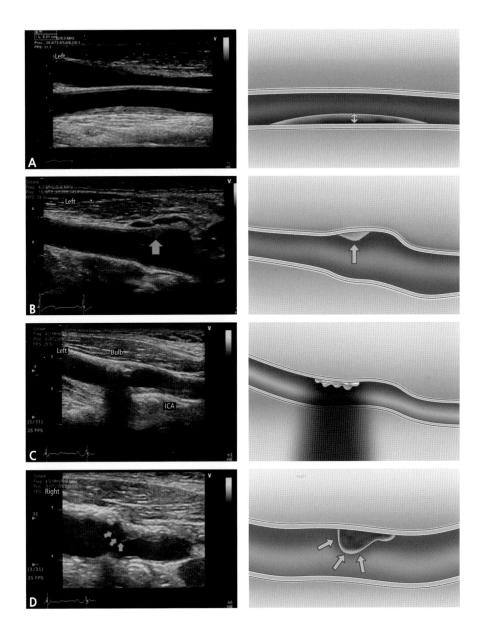

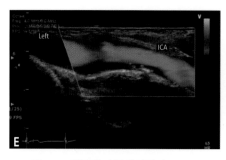 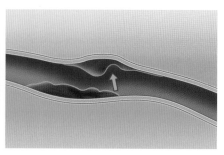

■ 그림 7-5. 경동맥의 동맥경화반

A. 동맥경화반의 크기 측정.
B. 내부의 음영이 균일한 동맥경화반
C. 고음영의 석회화된 병변을 갖는 동백경화반과 이로 인한 후방 음영
D. 저음영의 동맥경화반
E. 궤양이 형성된 동맥경화반

2. 경동맥의 협착 평가

　경동맥의 협착 평가 방법으로는 혈관 내에서 동맥경화반이 차지하는 비율을 직경과 면적을 이용하여 구하는 방법과, 도플러를 통한 혈류의 속도로 예측하는 방법이 있다.

① 종단면에서 동맥경화반이 있는 부위 경동맥의 직경에서 동맥경화반의 직경이 차지하는 비율을 구하거나(그림 7-6A), 횡단면에서 동맥의 면적 중 동맥경화반의 면적이 차지하는 면적의 비율을 구할 수 있다(그림 7-6B). 이 두 방법은 상호 보완적으로 사용될 수 있으며, 종단면에서 혈관의 직경 전체를 차지하는 동맥경화반을 횡단면에서 관찰하면 단면에서 실제 차지하는 비율을 더욱 정확히 관찰할 수 있다(그림 7-6C).

② 동맥경화반이 관찰되는 혈관의 도플러를 통하여 최고 혈류 속도 및 이완기말 혈류 속도를 측정하여 협착 정도를 예측할 수 있다. 내경 동맥의 협착 부위에서 가장 높은 혈류 속도를 갖는 지점의 최고 수축기 속도가 125 cm/sec 이상인 경우 50% 이상의 협착이 있다고 간주하며 230 cm/sec 이상인 경우 70% 이상의 협착이 있는 것으로 간주하며, 총경동맥의 최고 수축기 혈류와의 비율이 2.0 이상인 경우 50% 이상의 협착, 4.0 이상인 경우 70% 이상의 협착이 있는 것으로 간주한다(그림 7-6D). 또한 이완기말 혈류 속도가 100 cm/sec 이상인 경우에도 70% 이상의 협착이 있는 것으로 간주한다(표 7-1). 혈관이 90% 이상으로 협착될 경우 혈류가 매우 감소하여 속도가 아주 낮게 측정되는 경우도 있으며, 동맥경화반의 크기를 충분히 고려하여 판단하여야 한다. 완전히 혈관이 폐쇄된 경우에는 속도가 측정되지 않는다. 매우 심한 협착의 원위부에서는 혈류의 저하로 인하여 초기 수축기의 가속이 지연되고 혈류의 진

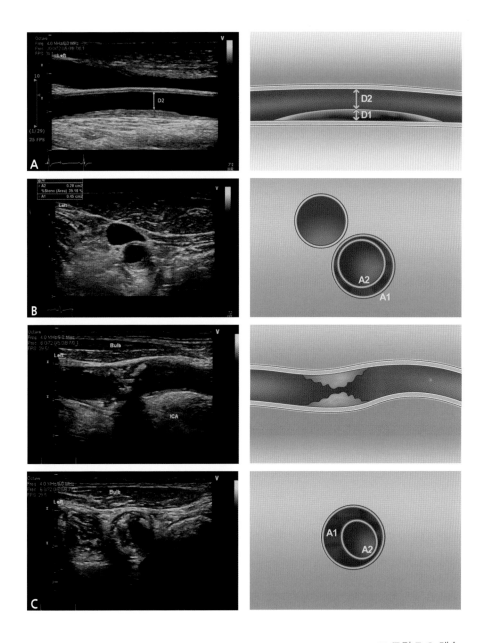

■ 그림 7-6. 계속

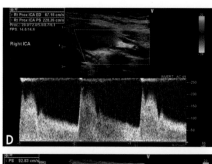
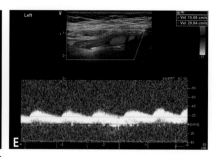
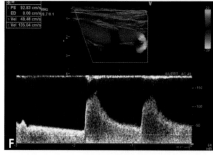

■ 그림 7-6. 동맥경화반에 의한 협착도 측정

A. 직경을 통한 협착도 평가

B. 면적을 통한 협착도 평가

C. 직경 및 면적을 통한 협착도 평가

D. 혈류 속도를 통한 협착도 평가

E. Tardus Parvus 현상

F. 혈관 주행의 급격한 변화에 의한 혈류 속도의 증가

폭이 감소하여 수축기 최고점의 파형이 완만해지는, Tardus Parvus 현상이 나타나기
도 한다(그림 7-6E).

③ 도플러의 혈류 속도가 높게 측정되는 경우 협착을 가장 의심해야 하지만 경우에 따
라서는 동맥의 협착이 심하지 않음에도 불구하고 혈류 속도가 높게 측정되는 경우가
있다. 혈관 주행의 급격한 각도 변화가 있거나(그림 7-6F) 심장 박출량이 증가된 경우,
그리고 기술적인 문제로 혈류 주행 방향과 초음파 주사 방향의 각도가 60° 보다 큰
경우 혈류 속도가 과평가될 수 있다.

표 7-1. 내경동맥의 도플러 혈류 속도를 통한 협착도의 예측

% 협착도	최고 수축기 속도(cm/s)	이완기말 속도(cm/s)	최고 수축기 속도 비율 (내경동맥/총경동맥)
정상	<125	<40	<2.0
<50%	<125	<40	<2.0
50–69%	125–230	40–100	2.0–4.0
>70%	>230	>100	>4.0
>90%	다양	다양	다양
완전 폐쇄	측정되지 않음	측정되지 않음	적용되지 않음

V. 경동맥 초음파 결과지 작성

1) 내중막두께를 기입한다. 우측 및 좌측 내중막두께와 그 평균값도 기입하는 것이 좋다.
2) 총경동맥부터 내경동맥, 외경동맥에 이르기까지 동맥경화반의 유무를 기술하고, 동맥경화반이 관찰된다면 크기와 모양을 고려하여 그림으로 표기하는 것이 좋다. 동맥경화반의 크기를 함께 기입하여야 다음 검사 시 호전 여부를 판단할 수 있다(그림 7-7).
3) 좌우 각각의 총경동맥, 내경동맥 및 외경동맥의 도플러를 통한 최고 수축기 혈류 속도와 이완기말 혈류 속도를 기입한다. 동맥경화반이 존재하지 않는 경우에도 혈류 속도를 기입하는 것이 좋다(그림 7-7).

Rt	PSV	EDV	Lt	PSV	EDV
CCA	81	21	CCA	91	23
ICA	95	20	ICA	85	19
ECA	96	19	ECA	95	18

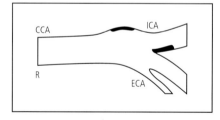 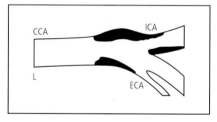

■ 그림 7-7. 경동맥 초음파 결과지

참고문헌

1. Lee HY, Shin J, Kim GH, et al. 2018 Korean Society of Hypertension Guidelines for the management of hypertension: part II-diagnosis and treatment of hypertension. Clinical hypertension 2019;25:20.
2. Williams B, Mancia G, Spiering W, et al. 2018 ESC/ESH Guidelines for the management of arterial hypertension. European heart journal 2018;39:3021-104.
3. Jang-Ho Bae K-BS, Hae-Ok Jung, et al. Analysis of Korean Carotid Intima-Media Thickness in Korean Healthy Subjects and Patients with Risk Factors: Korea Multi-Center Epidemiological Study. Korean Circulation Journal 2005;35:513-24.

신장동맥 초음파

Ultrasound for Renal Artery

한림의대 **김성애** / 연세의대 **하종원**

신장동맥 초음파

Ultrasound for Renal Artery

한림의대 **김성애** / 연세의대 **하종원**

I. 개요

신장동맥 초음파는 인체에 무해하고 접근성이 높은 일차적인 검사로서 신장의 해부학적 평가뿐만 아니라 도플러 초음파 검사를 통해 기능적인 평가를 할 수 있다는 장점이 있다.

Duplex 초음파를 통한 신장혈관의 평가는 복부 내 가스, 복부 비만으로 인해 초기에는 상당수의 초음파검사자가 적절한 이미지를 획득하는데 기술적으로 어려움을 호소하기도 하지만 일정 시간 이상의 지속적인 경험과 지식 습득을 통해 적응할 수 있는 검사이기도 하다. 본문에서는 초음파를 통해 신장 주변 혈관 구조를 파악하고 신장동맥 혈류의 정상 및 비정상 도플러 파형을 이해함으로서 신장동맥 질환의 진단 정확성을 높이기 위한 방법을 알아보고자 한다.

II. 적응증

1) 신장혈관성(renovascular) 고혈압 의증
2) 신장동맥 스텐트 삽입술 후 모니터링
3) 복강내 동맥 잡음(murmur)
4) 신장동맥류, 가성 동맥류, 동정맥루 또는 혈관 기형 의심
5) 신부전의 원인으로 신장 혈관 질환 여부 확인
6) 대동맥 박리, 외상 환자등 신장 혈류 상태 확인
7) 양쪽 신장 크기의 비대칭

III. 구조

양쪽 신장동맥(renal artery)은 위창자간막동맥(superior mesenteric artery) 바로 아래인 근위부 복부대동맥(abdominal aorta)에서 기시한다(그림 8-1).

우 신장동맥은 하대정맥(inferior vena cava) 뒤로 주행하는 유일한 중요혈관으로 복부대동맥 앞 측면에 위치하고, 좌 신장동맥은 복부대동맥 측면 또는 뒤측면에서 기시한다.

12%-22%에서는 복제(duplicate) 신장동맥 및 덧(accessory) 신장동맥이 존재하는데 복부대동맥 및 장골동맥(iliac artery)에서 바로 기시할 수도 있어 초음파에서 관찰하지 못하는 경우도 있다.

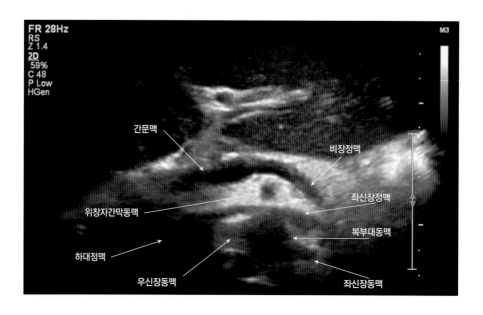

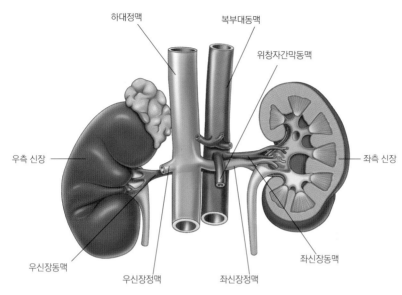

■ 그림 8-1. 복부 대동맥 주위 신장동맥 및 정맥의 위치

신장 내(intrarenal) 혈류 공급은 각각의 신장동맥에서 상극(upper pole), 중극(mid pole), 하극(lower polar)으로 가는 구역동맥(segmental artery)으로 분지되어 이는 엽사이로 주행하는 엽사이동맥(interlobar artery)과 신장 피질(cortex)과 수질(medulla) 경계를 따라 주행하는 활꼴동맥(arcuate artery)으로 구분된다(그림 8-2).

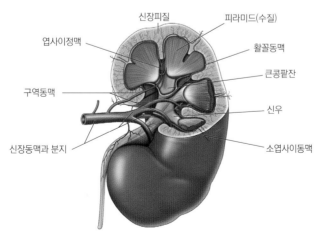

■ 그림 8-2. 신장 내 동맥 분포

IV. 준비 및 검사

1. 환자 준비 및 자세

1) 장내 가스(gas)로 인한 초음파 이미지 저하로 검사 전 9시간 금식
2) 똑바로 누운 자세에서 무릎을 세워 복부 긴장도를 떨어뜨린다.
3) 검사 시 자세는 전면 복부 접근(anterior abdominal approach) (그림 8-3)
4) 장내 가스나 복부 비만으로 초음파 이미지가 저하될 경우 측정 부위 반대 방향으로 환자를 비껴(oblique) 눕히거나 측와위(lateral decubitus) 자세로 변경하여 관찰한다(그림 8-4A,B).

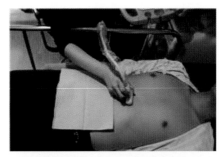

■ 그림 8-3. 전면 복부 접근 자세(anterior abdominal approach)

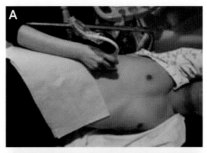

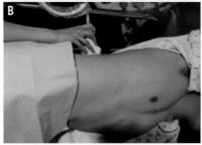

■ 그림 8-4. 빗(oblique, **A**) 또는 측와위(lateral decubitus, **B**) 자세

2. 검사 및 프로토콜

칼라 도플러 이미지(color flow imaging)는 신장동맥을 찾아내고 협착을 시사하는 혈류 장애(disturbance)를 발견하는데 있어 중요한 요소이며, 간헐파형(pulsed wave) 도플러는 협착 부위 내 혈류 속도를 정량적으로 평가하기 위한 도구이다.

칼라 도플러를 이용하여 앨리어싱(aliasing)이 일어나는 협착 의심부위를 찾아내고 도플러 샘플을 위치시켜 최고 수축기 속도를 측정한다. 이때 샘플 크기는 관심 혈관 위치에 맞게 크기를 조절하여 적절한 혈류 정보를 얻을 수 있어야 하며 도플러 측정 각도가 혈류 방향과 60도 이내가 되어야 비교적 정확한 속도를 측정할 수 있다.

1) 신장 크기 및 형태 평가(그림 8-5)

신장 피질의 echogenicity와 두께 및 신장 크기를 측정한다. 정상 신장의 크기는 10-12 cm이며 신장 크기가 8-9 cm이면 환자의 체표면적을 고려하여 평가하고 8 cm 미만인 경우에는 크기가 감소되었다고 할 수 있다. 또한 양쪽 신장의 크기가 2 cm 이상 차이가 나면 정밀 검사를 고려해야 한다.

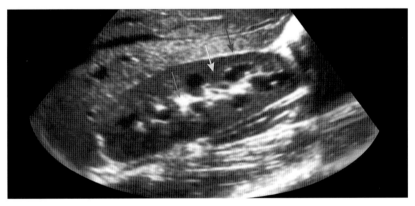

■ 그림 8-5. 정상 신장 초음파 이미지
(적색 화살표- 신장피막, 노란색 화살표 - 신장 수질 및 피질, 녹색화살표 - 콩팥깔때기)

2) 신장동맥 도플러 측정

(1) 측정 부위

① 신장동맥 - 근위부(proximal), 중간(mid), 원위부(distal)

② 구역동맥 - 상극(upper pole), 중극(middle pole), 하극(lower pole)

③ 활꼴동맥

④ 복제동맥 및 덧(accessory) 신장동맥

(2) 가로축 접근(Transverse approach)

복강동맥 또는 위창자간막동맥에서 탐촉자를 원위부로 내리면서 양쪽 신장동맥 기
시부를 찾는다. 우측 신장동맥(그림 8-6)은 좌측보다 비교적 찾기가 쉬우며 좌측 신장
동맥은 좌측 신장정맥을 지표로 하여 찾는다(그림 8-7).

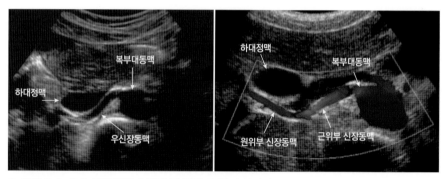

■ 그림 8-6. 우측 신장동맥 초음파 및 칼라 도플러 이미지

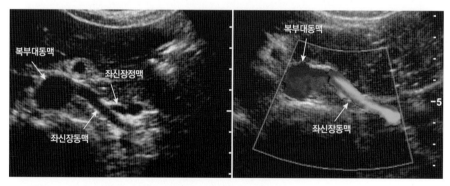

■ 그림 8-7. 좌측 신장동맥 초음파 및 칼라 도플러 이미지

(3) 세로축 접근(Longitudinal approach)

① 복부대동맥 직경 측정

② 위창자간막동맥 원위부인 신장동맥 위치의 복부대동맥에서 간헐파형(pulsed
wave) 도플러를 이용하여 최고 수축기 속도를 측정(그림 8-8).

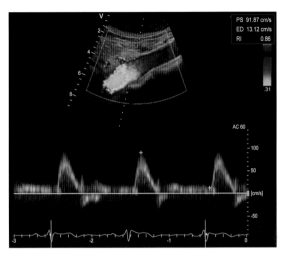

■ 그림 8-8. 신장동맥 위치에서 측정한 대동맥 도플러 파형

③ 신장동맥 기시부에서 최고 수축기 속도를 측정(그림 8-9).

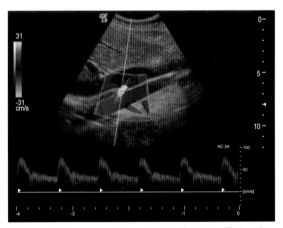

■ 그림 8-9. 신장동맥 근위부에서 측정한 도플러 파형

④ 양측 신장동맥의 근위부, 중간, 원위부의 최고 수축기 속도 및 이완기말 속도(end-
diastolic velocity)를 측정

좌측 신장의 원위부 동맥은 환자를 우 측와위(lateral decubitus)로 눕히고 좌측 신장을
음향창(acoustic window)으로 이용하여 좌 후측면에서 접근하고 동일한 방법으로 우측
신장 원위부 동맥은 좌 측와위로 눕혀서 관찰한다(그림 8-10).

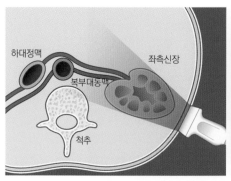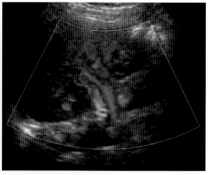

■ 그림 8-10. 좌측 신장동맥은 우 측와위 자세에서 좌측 신장을 음향창(acoustic window)으로 이용하여 좌 후측면에서 접근한다.

양측 신장내 동맥(구역동맥, 활꼴동맥)도 위와 같은 방법으로 칼라 도플러 및 간헐파형 도플러를 측정한다(그림 8-11).

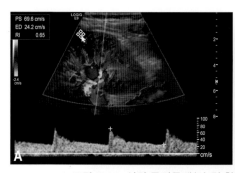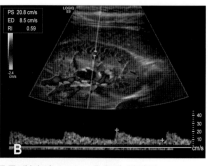

■ 그림 8-11. 신장 구역동맥(A) 및 활꼴동맥(B)의 duplex 초음파 이미지

30% 이상의 개인에서 2개 이상의 신장동맥을 가지고 있는데 이러한 복제(duplicate) 신장 동맥은 대부분 복부대동맥에서 기시하나 일부에서는 총장골동맥(common iliac), 위/아래창자간막동맥 등에서 기시하기도 한다(그림 8-12A,B).

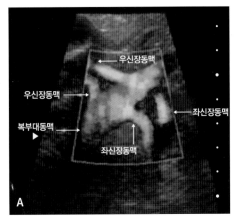
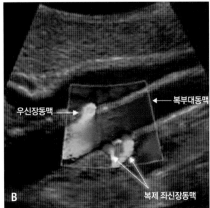

■ 그림 8-12. 우측(A) 및 좌측(B) 신장동맥에서 각각의 복부대동맥으로부터 기시한 복제 동맥이 관찰된다(화살표).

V. 결과 해석

정상 신장동맥 도플러 파형의 특징은 저항이 낮고 조기에 수축기 최고점(early systolic peak)에 도달하며 빠른 가속시간을 보이나(그림 8-13A), 신장동맥 협착이 진행되면 최고 수축기 속도가 증가하고 도플러 수축기 파형이 넓어지면서(spectral broadening) 협착부위의 난류에 의해 도플러 파형 내부가 짙게 채워진다(그림 8-13B).

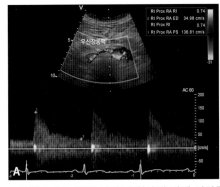
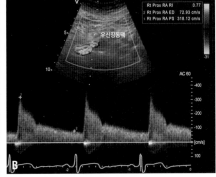

■ 그림 8-13. 정상 신장동맥(A)에 비해 신장동맥 협착(B)시 도플러 최고 수축기 속도가 증가하고 파형이 넓어진다(spectral broadening).

신장동맥 도플러 초음파를 통해 얻을 수 있는 변수는 다음과 같다.

1. 최고 수축기 속도(Peak systolic velocity) (그림 8-13)

신장동맥 정상 최고 수축기 속도는 180 cm/초 미만이나 협착이 진행될수록 혈류 최고 수축기 속도(peak systolic velocity, PSV)가 증가하는데 이는 신장동맥 협착의 단독 지표로 쓰이기도 하며 신장동맥 확장(revascularization) 시술/수술 이후에 병변의 잔존 또는 재발 여부의 추적 검사 지표로서 이용되기도 한다.

2. 신장-대동맥 비(Renal-to-aortic ratio, RAR)

위창자간막동맥 원위부인 신장동맥 근처의 복부대동맥에서 최고 수축기 속도를 측정하고 신장동맥 기시부에서 최고 수축기 속도를 측정하여 다음과 같이 신장-대동맥 비를 계산한다(그림 8-8,9).

*신장-대동맥 비(renal-to-aortic ratio, RAR) = 신장동맥 최고 수축기 속도 / 대동맥 최고 수축기 속도

정상 신장-대동맥 비 수치는 3.5 미만이고, 이 수치가 3.5 이상일 경우 60% 이상의 동측 신장동맥 협착을 시사한다. 이론적으로 신장-대동맥 비는 연령별 대동맥과 분지동맥의 혈역학적 다양성에 대한 보상이 가능한 지표이나, 측정부위에 대동맥류(aortic aneurysm)가 있거나 대동맥 최고 수축기 속도가 40 cm/초 미만 또는 90-100 cm/초 이상인 경우 예측 정확도는 떨어진다

표 8-1. 신장동맥 도플러 초음파의 최고 수축기 속도(PSV)에 따른 협착 정도 분류 기준

Parameter	Result
PSV > 180 cm/sec	Normal test
PSV > 180 cm/sec	Non-graduated stenosis
PSV > 180 cm/sec & RAR < 3.5	Stenosis < 60%
PSV > 180 cm/sec & RAR > 3.5	Stenosis > 60%
No renal artery flow & kidney < 9.0 cm	Occlusion

PSV, peak systolic velocity; RAR, renal-to-aortic ratio
(Strandness DE Jr. Duplex Scanning in Vascular Disorders. 3rd Ed.2002: 144-59)

3. 신장동맥 저항지수(Resistive index, RI)

정상적으로 신장동맥은 낮은 혈관 저항을 보이는데 이완기 말 도플러 파형이 없어지거나 감소되는 저항 증가 소견이 보이면 원위부 신장동맥 또는 신장 실질의 문제를 시사한다. 이러한 신장동맥 저항지수(resistive index, RI)는 다음과 같이 계산한다(그림 8-14, 15).

신장동맥 저항지수(resistive index, RI) = 최고 수축기 속도 - 이완기말 속도 / 최고 수축기 속도

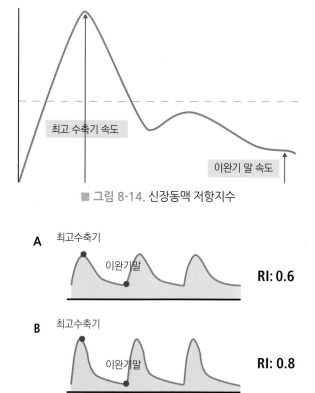

■ 그림 8-14. 신장동맥 저항지수

■ 그림 8-15. 정상(A) 및 비정상(B) 신장동맥 도플러 파형과 저항 지수(resistive index, RI) 비교

정상 신장동맥 저항지수는 0.7 미만으로 이러한 저항지수를 신장동맥 뿐만 아니라 원위부 구역동맥에서도 측정하여 신장동맥 협착 환자 중 혈관 확장 시술을 받고 나서 신기능 호전 및 혈압 감소의 개선효과를 예측하는 지표로서 이용되기도 하는데, 시술 전 저항지수가 0.8 이상인 경우 신장동맥 협착을 해결해도 신기능 악화 및 혈압 개선하는 효과가 적다고 알려져 있다.

4. 가속 시간(Acceleration time) (그림 8-16)

수축기 시작점부터 최고점에 도달할 때까지의 시간을 나타내는 것으로 정상 신장동맥에서는 0.07초 미만이나 신장동맥 협착이 진행될수록 가속시간이 지연된다.

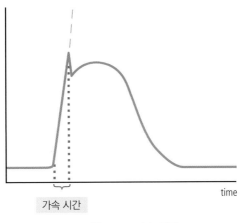

■ 그림 8-16. 가속 시간

5. 협착 후 난류(Poststenotic turbulence)

협착 지점의 최고 수축기 속도가 180-200 cm/초 이상이면서 난류가 관찰되는 경우도 60% 이상의 신장동맥 협착을 시사하는 소견으로 알려져 있다(그림 8-17).

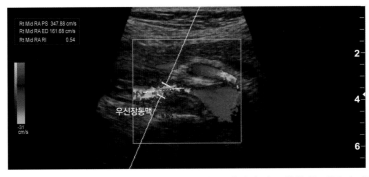

■ 그림 8-17. 우측 신장동맥의 최고 수축기 속도가 증가되어 있고 협착 후 난류가 관찰된다.

6. 도플러 파형의 감쇠(Dampening)

근위부 신장동맥 협착시 원위부 신장동맥에서 관찰되는 도플러 파형으로, 조기 수축기 최고점(early systolic peak)의 소실, 수축기 가속시간(acceleration time) 지연 또는 가속 지수(acceleration index) 감소 등의 소견을 보인다(그림 8-18). 단, 신장내 동맥(intrarenal artery)의 도플러 파형은 고혈압, 당뇨 등에 의해 동맥경화(arterial stiffness)가 심하거나, 미세혈관 저항(microvascula resistance)등이 높은 경우에 신장동맥 협착이 있어도 감쇠 소견이 나타나지 않을 수 있고 반대로 대동맥판막 협착환자에서는 신장동맥 협착이 없이도 감쇠소견이 나타날 수 있기 때문에 신장동맥 협착 평가에 있어 단독 지표로 쓰이지 않고 직접 지표와 함께 이용된다.

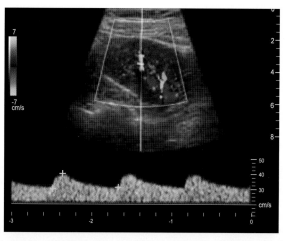

■ 그림 8-18. 신장동맥 협착시 원위부 신장동맥 도플러 파형의 감쇠 (dampening)

신장동맥 도플러 초음파 변수의 정상 수치

표 8-2. 신장동맥 도플러 초음파의 정상 수치

도플러 초음파 변수	수치
최고 수축기 속도(PSV)	〈 180 cm/초
신장–대동맥 비(RAR)	〈 3.0
저항지수(RI)	〈 0.70
가속시간(Acceleration time)	〈 0.07 초

PSV, peak systolic velocity; RAR, renal-aortic-ratio; RI, resistive index.

신장동맥 협착(> 60%)의 도플러 초음파 진단 기준

1) 직접 지표(Direct criteria)
① 최고 수축기 속도(peak systolic velocity) 〉 180-200 cm/초
② 신장-대동맥 비(renal-to-aortic ratio, RAR) 〉 3.5
③ 협착 후 난류(poststenotic turbulence)

2) 간접 지표(Indirect criteria)
① 조기 수축기 최고점의 소실
② Tardus Parvus 도플러 파형
③ 신장동맥 원위부 도플러 파형의 감쇠(dampening) 및 가속 시간 〉 0.07초
④ 양쪽 신장의 저항지수 차이 〉 0.05-0.07

VI. 신장동맥 초음파 보고서(Report form)

RENAL DUPLEX ULTRASONOGRAM REPORT

	Abdominal aorta			
Peak systolic velocity (cm/s)				
	Right renal artery		Left renal artery	
	Proximal	Distal	Proximal	Distal
Peak systolic velocity (cm/s)				
End−diastolic velocity (cm/s)				
Renal−aortic ratio				
Resistive index				
Acceleration time (sec)				
Post−stenotic turbulence				
Tardus−Parvus wave form				
Comments:				

VII. 요약

신장동맥 초음파를 통해 신장 주변 혈관 구조를 파악하고 신장동맥 혈류의 정상 및 비정상 도플러 파형을 이해하는것이 신장동맥 협착의 진단 정확성을 높이고 그 치료 효과를 판정하는데 중요한 단계가 될 것이다.

참고문헌

1. American Institute of Ultrasound in Medicine, American College of Radiology, Society for Pediatric Radiology, Society of Radiologists in Ultrasound. AIUM practice guideline for the performance of native renal artery duplex sonography. J Ultrasound Med 2013;32:1331−40.

2. Dawson DL. Noninvasive assessment of renal artery stenosis. Semin Vasc Surg 1996;9:172-81.
3. Baxter GM, Aitchison F, Sheppard D, et al. Colour Doppler ultrasound in renal artery stenosis:Intrarenal waveform analysis. Br J. Radiol 1996;69:810-5.
4. Miralles M, Cairols M, Cotillas J, et al. Value of Doppler parameters in the diagnosis of renal artery stenosis. J Vasc Surg 1996;23:428-35.
5. Williams GJ, Macaskill P, Chan SF, et al. Comparative accuracy of renal duplex sonographic parameters in the diagnosis of renal artery stenosis: paired and unpaired analysis. Am J Roentgenol 2007;188:798-811.
6. Zierler RE. Is duplex scanning the best screening test for renal artery stenosis? Semin Vasc Surg 2001;14:177-85.
7. Spyridopoulos TN, Kaziani K, Balanika AP, et al. Ultrasound as a first line screening tool for the detection of Renal Artery Stenosis: a comprehensive review. Medical Ultrasonography 2010;12:228-32.
8. AbuRahma AF, Yacoub M. Renal imaging: duplex ultrasound, computed tomography angiography, magnetic resonance angiography, and angiography. Semin Vasc Surg 2013;26:134-43.
9. Strandness DE Jr. Duplex Scanning in Vascular Disorders. 3rd Ed. Lippincott : Philadelphia: Williams & Wilkins. 2002;144-59.
10. Lao D, Paraspher PS, Cho KC, et al. Atherosclerotic Renal Artery Stenosis-Diagnosis and Treatment. Mayo Clin Proc 2011;86:649-57.

복부대동맥류 초음파

Ultrasound for Abdominal Aortic Aneurysm

아주의대 **박진선** / 가톨릭의대 **정해억**

복부대동맥류 초음파

Ultrasound for Abdominal Aortic Aneurysm

아주의대 **박진선** / 가톨릭의대 **정해억**

I. 복부대동맥류의 임상적 중요성

복부대동맥류(Abdominal aortic aneurysm, AAA)는 대동맥의 직경이 정상보다 1.5 배 이상 확장된 것을 의미하며, 일반적으로 최대 3.0 cm를 초과할 경우로 정의한다. 혈관 벽에 가해지는 압력에 대해 혈관 형태를 유지하는 역할을 하는 혈관 중막의 약화로 인해 발생하며, 중막 약화가 진행되어 복부대동맥류의 크기가 증가하게 되면 파열이 발생할 수 있다. 대부분의 복부대동맥류는 증상이 없으며, 증상이 발생하는 경우, 파열의 위험성이 급격히 증가한다. 복부대동맥류가 파열될 경우 사망률이 90% 이상이나, 사전에 진단되어 파열을 미연에 방지하고, 동반된 다른 위험인자를 관리할 경우, 낮은 사망률을 보이게 된다. 복부의 통증을 동반하거나, 최대 직경이 5.5 cm 이상일 경우 수술적 치료 혹은 복부 대동맥류 스텐트 도관 삽입술(endovascular abdominal aortic aneurysm repair, EVAR) 을 고려해야 한다. 증상이 없는 복부대동맥류는 시간이 지날수록 크기가 증가하고, 복부 대동맥류의 크기는 파열과 밀접한 연관성이 있다(표 9-1). 복부대동맥류의 크기 증가 속도 도 복부대동맥류의 크기와 연관된 것으로 알려져 있어, 복부대동맥류의 크기와 크기 증가 속도 및 동반된 위험인자 등을 고려하여, 주기적인 검사가 권고된다. 통상적으로 크기가 4.0-5.4 cm일 경우 6-12개월 간격으로, 3.0-4.0 cm일 경우에는 매 2-3년마다 추적 검사 하는 것이 권장된다.

표 9-1. 복부대동맥류의 크기에 따른 연간 파열 위험성

복부대동맥류의 직경	연간 파열 위험성
5.5–5.9 cm	9.4%
6.0–6.5 cm	10.2%
6.5–6.9 cm	19.1%
7.0 cm 이상	32.5%

II. 복부대동맥류 검사의 적응증

1. 복부대동맥류의 위험인자를 동반한 65세 이상의 성인
　① 남성
　② 동맥경화증의 기왕력
　③ 고혈압
　④ 흡연력
　⑤ 복부대동맥류의 가족력

2. 경흉부 심초음파에서 상행 대동맥과 대동맥 근부 확장이 있는 경우

III. 복부대동맥류 초음파검사 전 확인사항

　복통, 등쪽 통증 및 옆구리 통증 등의 복부대동맥류에 의한 증상 여부 확인이 필요하다. 증상이 동반된 경우 파열의 전구 증상일 가능성이 있으므로, 검사 시 복부대동맥류에 탐촉자로 압력을 가하지 않도록 주의한다. 특히, 압통이 있거나, 극심한 통증이 동반된 경우나 급성 통증의 발생 등은 복부대동맥류 파열이나, 파열이 임박한 것으로 간주할 수 있고, 이러한 경우 일반적으로 초음파 검사보다는 복부 단층 촬영이 추천된다.

IV. 복부대동맥류 스크리닝 초음파검사방법

1. 검사의 개요

복부대동맥류는 90% 이상에서 신장동맥 하부(infrarenal) 를 침범하며, 그 외에는 신장 동맥을 포함하거나(juxtarenal), 신장동맥 상부를 침범하는 것으로 알려져 있다. 복부대동맥류 스크리닝하는 초음파검사방법으로, 늑골하부 창에서 복부대동맥을 확인하고 이를 추적하여 장골동맥 분지점까지 대동맥 내경을 측정한다.

2. 검사 장비 및 환자 준비

1) 탐촉자(Probe) 선택

경흉부 심초음파에서 사용하는 심장 탐촉자(cardiac probe)를 사용한다. 경동맥 초음파를 시행할 때 사용하는 고주파수(high-frequency) 선형(linear) 탐촉자(probe)를 대체하여 사용할 수 있다.

2) 환자 준비

환자는 바로 눕히고 무릎을 굽혀 복부의 근육을 이완시킨다.

3. 검사방법

1) 탐촉자에 검사용 젤리를 바른다.
2) 탐촉자를 명치 부위에 위치시켜 늑골 하부로 누르면서 탐촉자의 머리 부분이 환자의 왼쪽 쇄골을 향하도록 한다.
3) 심첨 4방도와 유사한 단면으로 두개의 심방과 심실 및 중격과 승모판, 삼첨판을 확인한다(늑골하 장축단면도, 그림 9-1).

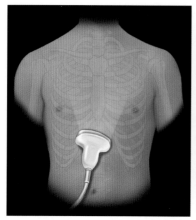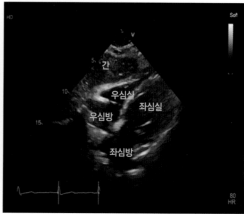

■ 그림 9-1. 늑골하 장축단면도의 영상 획득 위치 및 늑골하 장축단면도의 예

4) 늑골하 장축단면도를 확인하는 위치에서 탐촉자를 환자의 오른쪽으로 이동시켜 우심방이 화면의 오른쪽에 위치하고, 간의 일부가 보일 수 있도록 영상을 획득한다. 탐촉자를 이동시킬 때 탐촉자를 누르는 깊이와 방향은 동일하게 유지한다.

5) 하대정맥이 우심방으로 연결되는 위치가 장축으로 보일 때까지 탐촉자를 반시계 방향으로 회전시켜 탐촉자의 머리부분이 환자의 오른쪽 쇄골을 향하도록 한다(그림 9-2).

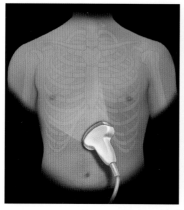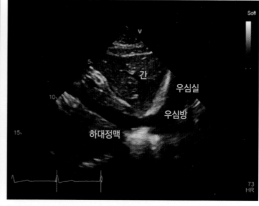

■ 그림 9-2. 하대정맥의 영상 획득 위치 및 영상의 예

6) 하대정맥이 보이는 단면에서 탐촉자의 머리 부분이 아래를 향하도록 기울여 복부대동맥의 장축을 확인한다(그림 9-3).

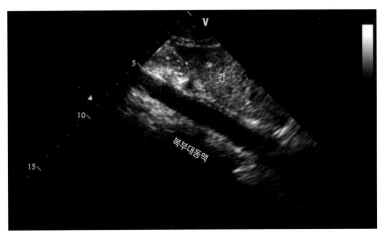

■ 그림 9-3. 복부대동맥의 장축 영상의 예

표 9-2. 하대정맥과 하행대동맥의 감별점

감별점	하대정맥	복부대동맥
심장과의 연관성	우심방으로 연결됨	심장 아래에서 관찰됨
혈류	지속성 호흡에 따라 변화 있음	박동성
혈관벽	관찰되지 않는다	고에코강도
호흡시 동적인 변화	+/−	−
측부혈관	간정맥	−

7) 복부대동맥의 장축을 따라 환자의 하복부로 탐촉자를 이동하며 복부대동맥을 장골 동맥 분지점까지 확인한다.

8) 복부대동맥 장축 검사 시작점에서 탐촉자를 90° 회전하여 복부대동맥 단축을 확인 한다(그림 9-4).

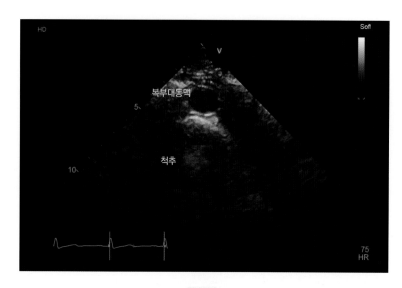

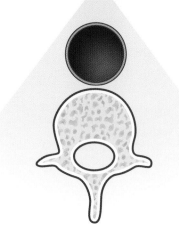

■ 그림 9-4. 복부대동맥의 단축 영상의 예

9) 복부대동맥 단축을 확인하며 장골동맥 분지점까지 환자의 하복부로 탐촉자를 이동
하며 복부대동맥 내경을 측정한다.

10) 복부대동맥류가 확인될 경우 대동맥류의 장축과 단축을 확인하여 최대 직경을 측
정한다(그림 9-5).

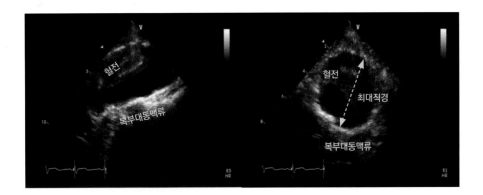

■ 그림 9-5. 복부대동맥류의 장축 영상 및 단축 영상의 예. 동맥류 내에 저에코강도의 혈전이 관찰된다. 혈관의 일부 벽에 고에코강도의 석회화가 동반되어 있다. 복부대동맥류의 단축 영상에서 최대직경을 측정한다.

11) 복부대동맥류가 확인될 경우 혈전이나, 죽상경화반의 존재 유무를 확인한다.

12) 복부대동맥류 스텐트 도관 삽입술(endovascular abdominal aortic aneurysm repair, EVAR)을 시행받은 환자의 경우, 초음파에서 다음과 같은 내용을 확인한다 (그림 9-6, 그림 9-7).

　① 대동맥류 벽과 스텐트 도관 사이에 지속적인 혈류의 존재 확인

　② 대동맥류 벽의 최대 직경의 측정

　③ 스텐트 도관 내의 혈류의 측정 및 협착증 혹은 폐색의 확인

　④ 스텐트 도관의 endoleak 여부 확인

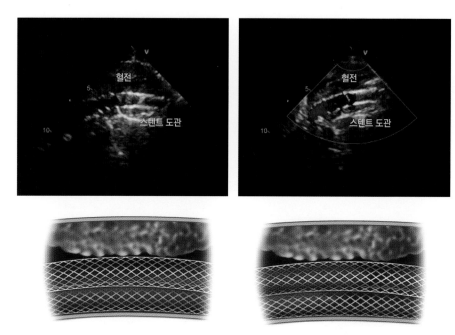

■ 그림 9-6. 복부대동맥류 스텐트 도관의 장축 영상과 색도플러 영상의 예. 스텐트 도관 내에는 파란색의 색도플러가 심장 박동에 따라 박동성으로 관찰되나, 동맥류 내에는 혈류가 관찰되지 않는다. 스텐트 도관과 복부대동맥류 혈관 벽내에는 저에코강도의 혈전이 관찰된다.

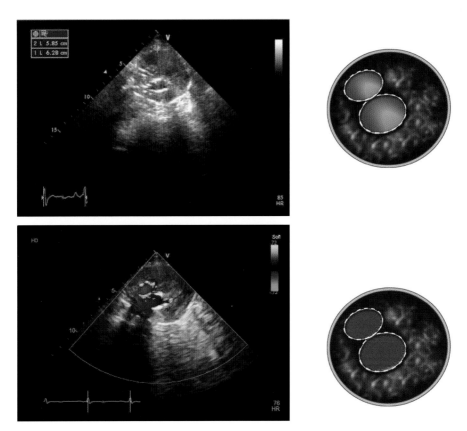

■ 그림 9-7. Bifurcated type의 스텐트 도관의 단축 영상과 칼라도플러 영상의 예. 스텐트 도관 두 개가 고에코강도로 보이며, 빨간색 칼라도플러가 심장 박동에 따라 박동성으로 보인다. 스텐트 도관과 복부대동맥류 혈관 벽내에는 저에코강도의 혈전으로 채워져, 동맥류내에는 혈류가 관찰되지 않는다. 혈관의 일부 벽에 고에코강도의 석회화가 동반되어 있다.

4. 복부대동맥류 스크리닝 초음파 결과의 보고

복부대동맥류 스크리닝 초음파는 복부대동맥의 내경에 대한 결과를 보고하며, 복부대동맥류가 관찰되는 경우, 복부대동맥류의 크기를 보고하도록 한다. 복부대동맥류의 크기는 최대 직경을 보고하며, 혈전의 존재 유무와 죽상경화반의 존재 유무를 보고한다.

참고문헌

1. 한국심초음파학회. 임상심초음파학. 제 3판. 서울: 대한의학서적. 2013.
2. 조진현. 혈관초음파. 제 1판. 서울: 가본의학. 2007.
3. Guirguis-Blake JM, Beil TL, Sun X, et al. Primary Care Screening for Abdominal Aortic Aneurysm: A Systematic Evidence Review for the U.S. Preventive Services Task Force. 2014.

정맥혈전증 초음파

Ultrasound for Deep Vein Thrombosis

연세의대 **심지영** / 가톨릭의대 **조은주**

정맥혈전증 초음파

Ultrasound for Deep Vein Thrombosis

연세의대 **심지영** / 가톨릭의대 **조은주**

I. 정맥혈전증의 임상적 중요성

깊은정맥혈전증(deep vein thrombosis, DVT)는 인체의 깊은 곳, 즉 연부조직 또는 근육 속에 있는 정맥 내에 혈전이 발생하는 질병이다. 과응고상태(hypercoagulable state), 혈관 내막의 손상(endothelial injury), 그리고 혈류의 정체(circulatory stasis)가 DVT 발생의 병태생리로 작용한다.

주로 하지정맥에 발생하고, 무증상인 경우도 흔하며, 증상이 발생하는 경우 주로 한쪽 다리의 부종, 통증, 색깔 변화와 같은 증상을 보인다. 폐동맥 혈전 색전증(pulmonary thromboembolism, PTE)과 같은 심각한 합병증을 병발하는 경우 흉통 및 호흡곤란이 발생하고, 심한 경우 산소포화도의 저하, 우심실기능저하에 따른 심인성 쇼크로 사망에 이르기도 한다.

무릎 위쪽에서 발생하는 DVT의 경우 PTE 발생률이 50% 이상이지만, 무릎 아래쪽에 발생하는 DVT는 PTE 발생률이 2-4%로 낮아 임상적인 의미에 있어서 차이를 보인다. 따라서, DVT 초음파 검사는 임상적으로 중요한 무릎 위쪽의 DVT를 스크리닝 하는데 초점을 두는 검사 방법이 주로 사용되고 있으며, 진단의 안전성을 위해서는 무릎 아래쪽의 장딴지까지 완전하게 하지정맥을 검사하는 방법도 최근 권고되고 있다.

II. 정맥혈전증 초음파검사 전 확인사항

검사를 시작하기 전에 모든 환자에게 검사 전 확률(Pre-test probability)에 대한 평가를 시행할 것이 권고되고 있다. 표 10-1은 Wells score로 가장 널리 쓰이는 초음파 검사 전 임상평가 방법이다. 이 점수의 합이 2점 이상인 경우 DVT의 가능성이 있으며, 2점 미만의 경우에는 가능성이 떨어지는 상태로 혈중 d-dimer 검사를 먼저 시행해 볼 것이 권고된다. 임신 또는 경구피임약에 의해서도 과응고상태가 발생하므로 이와 관련된 병력청취도 필요하며, 흡연 또한 중요한 위험요소로 알려져 있다. 일시적인 위험요소(예, 주요수술)에 의해 발생하는 DVT를 provoked DVT라고 하고, 일시적인 위험요소 없이 고령, 유전적혈전증(hereditary thrombophilia)와 같은 비환경적인 위험요소와 관련하여 발생하는 경우를 unprovoked DVT라고 한다.

표 10-1. DVT 검사 전 확률을 예측하는 임상 모델(Wells Score)

임상적 특징	Score
활동성 악성종양(최근 6개월 내에 치료를 받았거나 현재 받고 있는 경우)	1
완전 마비(Paralysis) 또는 불완전 마비(Paresis), 최근 하지의 석고(Plaster) 고정	1
최근 3일 이상 침상안정 또는 12주 이내 주요 수술 병력	1
깊은정맥이 분포하는 부위를 따라 국소적인 통증	1
전체 다리의 부종	1
장딴지의 최소 3 cm 이상의 부종(증상이 없는 반대쪽에 비해)	1
증상이 있는 다리에 국한된 함요 부종	1
곁순환 표재 정맥들	1
이전에 DVT가 진단되었던 경우	1
DVT와 유사한 증상을 보이는 다른 진단을 받은 경우	-2

III. 정맥혈전증 스크리닝 초음파검사방법

1. 검사의 개요

허벅지에서 무릎까지 정맥에 혈전이 발생하였는지를 스크리닝하는 초음파검사방법으로, 검사하고자 하는 다리의 세군데 지점 즉, 총대퇴정맥(common femoral vein), 표재대퇴정맥(superficial femoral vein), 오금정맥(popliteal vein)에서 검사를 하는 방법이다(그림 10-1). 기관에 따라서는 두군데 지점, 즉 총대퇴정맥과 오금정맥만 검사를 하는 point-ofcare 하지 초음파기법을 이용하기도 한다. 다리의 몇 지점에서 DVT를 스크리닝하는 초음파검사는 효율적이고, 근위부 DVT를 진단하는데 특이도와 예민도 모두 우수한 장점이 있으나, 검사를 시행하는 부위 사이에 발생한 국소적인 DVT를 놓칠 수 있어, DVT가 아니라는 것을 확실히 배제하여야 하는 임상상황에서는 5일-1주일 사이에 반복검사가 권고된다.

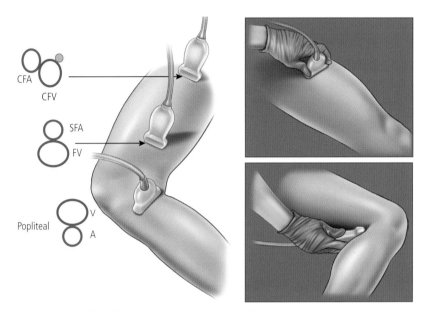

■ 그림 10-1. 깊은정맥혈전증 스크리닝 초음파검사(3 지점) 예시(CFA, common femoral artery; CFV, common femoral vein; SFA, superficial femoral artery; SFV, superficial femoral vein; V, vein; A, artery)

2. 검사 장비 및 환자 준비

1) 경동맥 초음파를 시행할 때 사용하는 고주파수(high-frequency) 선형(linear) 탐촉자를 사용하면 된다. 환자의 체형이 크거나 뚱뚱하여 깊은정맥이 더 깊이 있는 경우에는 복부 검사에 주로 사용되는 곡선형(curvilinear) 탐촉자를 대체하여 사용할 수 있다.
2) 초음파 기계에 DVT검사를 위해 미리 설정된 상태(preset)가 있다면 사용하고, 그렇지 않다면 "정맥(venous)" 또는 "혈관(vascular)" 모드를 선택한다.
3) 환자는 검사용 가운을 입도록 하고 검사 부위 이외에 불필요한 노출을 피할 수 있도록 치마형태나 정형외과용 바지형태의 가운이 유용하다.
4) 검사 침대에 누워서 검사하려는 다리의 고관절을 바깥쪽으로 약간 회전시키고 무릎은

약간 굽히는(개구리 다리) 것이 가장 적합한 검사자세이다. 적절한 정맥의 용적 확보 (venous filling)를 위해 15-30도 상체를 세우는 것이 도움이 된다.

3. 검사 방법

1) 탐촉자에 검사용 젤리를 바르고 서혜부 인대(inguinal ligament)에 가로로 탐촉자를 위치시켜, 총대퇴동맥과 총대퇴정맥을 확인한다.

2) 정맥은 탐촉자에 힘을 가하면 압축이 되며, 칼라와 도플러를 이용하면 동맥과 정맥을 구분할 수 있다. 만약, 정맥이 잘 관찰되지 않는다면, 탐촉자에 가해진 힘이 이미 강하여 정맥이 압축되어 있을 수 있으므로 힘을 빼보는 것이 좋다. 정맥과 동맥의 해부학적인 위치를 이해하는 것도 정맥과 동맥을 구분하는데 도움이 되는데, 총대퇴정맥은 총대퇴동맥에 비해 사타구니의 안쪽 깊은 사선위치에 위치하고, 허벅지의 중간부위로 내려올수록 표재성 대퇴동맥의 심부로 주행하다가 무릎 뒤쪽 오금에서는 오금동맥 보다 표면에 존재한다(그림 10-1).

〈동맥과 구별되는 정맥의 특징〉	
2D	박동성이 있는지 확인하여 박동성이 없으면 정맥 탐촉자로 눌러보아 압축이 되면 정맥
Doppler	혈류 속도가 매우 낮고 심장 주기에 따라 변동성이 미미 숨을 들이 마시면(inspiration) 바로 변화가 보임.

3) 칼라를 이용하여 총대퇴동맥과 총대퇴정맥을 확인한 상태에서, 탐촉자에 살짝 힘을 가하여 총대퇴정맥의 압축성 유무를 확인한다(그림 10-2). 압축이 되지 않거나 총대퇴정맥 내에 에코음영이 증가된 물질이 관찰된다면 탐촉자를 종축방향으로 돌려 해당 부위 위 아래의 정맥을 관찰하여 혈전의 유무를 검사한다(그림 10-5).

4) 허벅지의 중간 부위에 가로로 탐촉자를 위치시켜, 표재성 대퇴동맥(superficial femoral artery)과 표재성 대퇴정맥(superficial femoral vein)을 확인한다. 표재성 대퇴정맥은 동맥에 비해 표피에서 깊은 곳에 관찰된다.

5) 표재성 대퇴동맥과 표재성 대퇴정맥을 확인하면, 탐촉자에 살짝 힘을 가하여 표재성 대퇴정맥의 압축성 유무를 확인한다(그림 10-3). 마찬가지로 압축이 되지 않거나 표재성 대퇴정맥 내에 에코음영이 증가된 물질이 관찰된다면 탐촉자를 종축방향으로 돌려 해당 부위 위 아래의 정맥을 관찰하여 혈전의 유무를 검사한다.

6) 환자에게 무릎은 개구리 다리 형태로 구부리도록 하여 무릎 뒤쪽에 가로로 탐촉자를 위
  치시켜, 오금동맥(popliteal artery)와 오금정맥(popliteal vein)을 확인한다. 오금정맥
  은 동맥에 비해 표피에 가까운 곳에 관찰된다.

7) 오금동맥과 오금정맥을 확인하면, 탐촉자에 살짝 힘을 가하여 오금정맥의 압축성 유무
  를 확인한다(그림 10-4).

2D

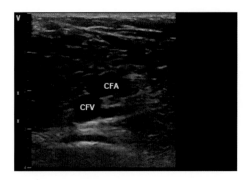

Left common femoral (왼쪽 총대퇴)
CFV, common femoral vein (총대퇴정맥)
CFA, common femoral artery (총대퇴동맥)

Color

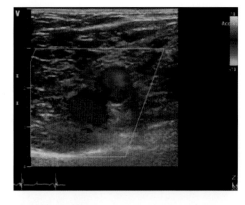

Compression

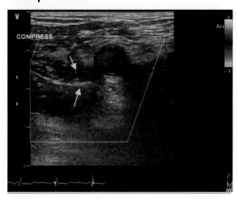

■ 그림 10-2. 2D, 칼라, 탐촉자 압축을 이용한 총대퇴정맥의 초음파검사의 예

2D

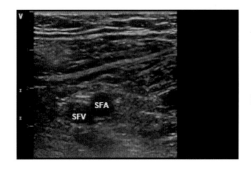

Left superficial femoral (왼쪽 표재성 대퇴)
SFV, superficial femoral vein (표재성 대퇴정맥)
SFA, superficial femoral artery (표재성 대퇴동맥)

Color

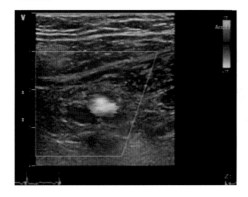

Compression

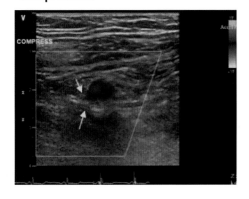

■ 그림 10-3. 2D, 칼라, 탐촉자 압축을 이용한 표재성 대퇴정맥 초음파검사의 예

2D

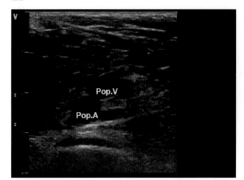

Left popliteal (왼쪽 오금)
Pop. V, popliteal vein (오금정맥)
Pop. A, popliteal artery (오금동맥)

Color

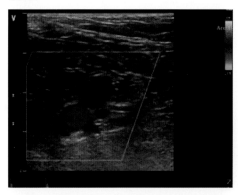

Compression

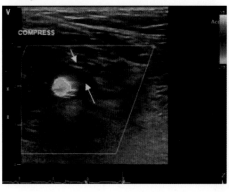

■ 그림 10-4. 2D, 칼라, 탐촉자 압축을 이용한 오금정맥 초음파검사의 예

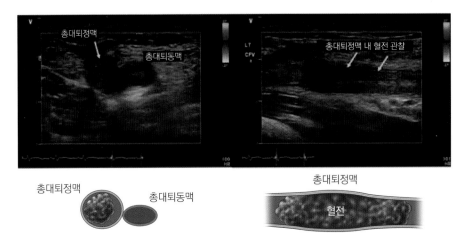

■ 그림 10-5. 단축영상에서 탐촉자에 압력에 압축되지 않는 확장된 대퇴정맥이 관찰(좌)되며 종축영상에서 정맥 내에 가득 차 있는 혈전이 관찰됨(우).

4. 검사결과의 해석과 흔하게 발생하는 오류

검사결과는 각 검사 지점의 정맥의 압축성 유무로 양성과 음성을 판단한다(그림 10-2, 10-3, 10-4). 정상적으로는 동맥의 형태는 보존되는 정도로 탐촉자에 압력을 가하면 정맥은 압축이 되지만, DVT가 있는 경우이면 압축이 되지 않거나 내부에 에코음영이 높은 물질, 즉 혈전이 관찰되기도 한다.

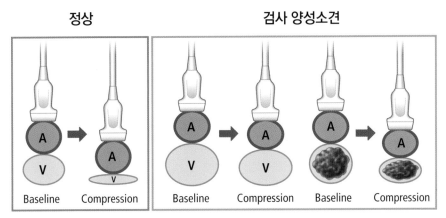

■ 그림 10-6. 정맥혈전증 초음파검사의 정상소견과 양성소견(A; artery, V; vein)

하지만, 탐촉자의 압력이 가능한 해당 정맥의 단축 전체를 포함하여 수직으로 가해져야 하는데 그림 10-7과 같이 일부에만 전달된다면, 정맥내부에 혈전이 있어도 압축이 되는 것과 같이 보여, DVT가 있어도 놓치는 위음성(false negative)이 나타날 수 있다(그림 10-7).

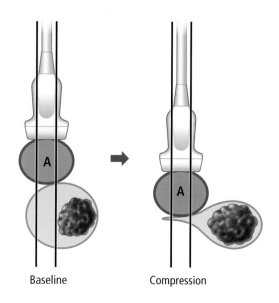

Baseline   Compression

■ 그림 10-7. 흔하게 발생하는 검사의 오류(위음성의 예) (A, artery)

또한, 대퇴부위의 림프절이나, 오금부위의 Baker's cyst 등을 압축이 되지 않는 정맥으로 판단하여 위양성(false positive)결과를 보고하는 경우도 있어 주의를 요하며, 대퇴부위의 혈종이나 농양도 감별하여야 한다. 이는 종축방향으로 탐촉자를 돌려봄으로써 구별이된다. 즉, 림프절은 종축으로 돌려도 동그란 모양을 보이지만, 정맥은 종축으로 돌리면 관(tubular) 형태의 혈관구조가 관찰되고, 2D로 구별이 어렵다면 칼라나 도플러를 응용하면도움이 된다.

5. 정맥혈전증 스크리닝 초음파 결과의 보고방법과 예

정맥 혈전증 스크리닝 초음파는 각 다리의 3개 지점의 정맥의 압축성에 대한 결과를 보고하며 혈전이 직접적으로 관찰되는 경우에는 이에 대해서도 관찰되는 위치를 서술하도록 한다. 최근 초음파 영상의 질이 향상되면서 정맥의 압축성이 없어 DVT가 의심되는 경우 종축 영상을 통하여 주변부위를 면밀히 관찰하면 혈전이 직접 관찰되는 경우가 상당히 많다. 다음은 실제 검사결과 보고의 예이다.

예시1

Compressibility

Location (vein)	Right	Left
Common femoral	Compressible	Compressible
Superficial femoral	Compressible	Compressible
Popliteal	Compressible	Compressible

Comments

Fully compressible bilateral deep veins from common femoral vein to popliteal vein
↑ **Negative for DVT screening**
↑ Consider repeat exam, if DVT is clinically suspicious

예시2

Compressibility

Location (vein)	Right	Left
Common femoral	Compressible	Non-Compressible
Superficial femoral	Compressible	Non-Compressible
Popliteal	Compressible	Compressible

Comments

Non-compressible left deep veins with visible thrombi from common femoral vein to superficial femoral vein

➔ **Positive for left DVT**

참고문헌

1. Polak JF. Peripheral vascular sonography. 2nd ed. Philadelphia: Lippincott Williams & Wilkins. 2004.

2. Wells PS, Anderson DR, Rodger M, et al. Evaluation of D-dimer in the diagnosis of suspected deep-vein thrombosis. N Engl J Med 2003;349:1227-35.

3. Needleman L, Cronan JJ, Lilly MP, et al. Ultrasound for low extremity deep venous thrombosis: multidisciplinary recommendations from the society of radiologists in ultrasound consensus conference. Circulation 2018;137:1505-15.

정맥 기능 초음파

Ultrasound for Chronic Vein Insufficiency

계명의대 **김인철** / 을지의대 **유승기**

11

정맥 기능 초음파

Ultrasound for Chronic Vein Insufficiency

계명의대 **김인철** / 을지의대 **유승기**

I. 개요

만성 정맥기능부전(chronic vein insufficiency)은 정맥내 판막 손상 등으로 혈액의 역류가 생겨 충분한 양의 혈액을 심장으로 환류 시키지 못하게 되어 발생한다. 하지의 정맥기능부전은 하지동맥병보다 더 흔한데, 50대가 되면 여성의 경우 40%, 남성의 경우 20%에서 임상적으로 유의미한 만성정맥기능부전을 보인다. 위치에 따라서 표재정맥 부전과 깊은정맥 부전으로 나눌 수 있고, 발생 원인에 따라서 원발성 판막 부전과 이차성 판막 부전으로 나눌 수 있다. 원발성 판막 부전은 정맥 벽의 탄력성 감소에 의해서 발생하며, 이차성 판막 부전은 이전에 깊은정맥혈전증(deep vein thrombosis, DVT)과 같은 폐쇄성 질환에 의해서 혈관의 확장 작용에 의해서 발생한다. 만성 정맥기능부전의 임상 증상으로는 하지 부종, 색소침착, 피부 변화 및 궤양이 있을 수 있다.

II. 하지정맥의 해부학적 구조 및 정맥기능부전의 기전

하지정맥의 해부학적 구조는 **그림 11-1**과 같다. 하지정맥은 표재정맥과 깊은정맥으로 나누게 되는데, 표재정맥인 대복재정맥(greater saphenous vein), 소복재정맥(lesser saphenous vein)에서 만성 정맥 질환 또는 만성 정맥 기능 부전이 잘 발생하므로 정맥 기능 평가를 위해서는 대복재정맥과 소복재정맥을 위주로 관찰한다. 정상적으로 하지정맥의 혈류는 원위부(하부)에서 근위부(상부)로 흘러가지만, 발살바법을 시행하거나 근위부의 혈액 정체가 발생하여 압력 증가가 될 경우에는 근위부에서 원위부로 혈액 역류가 발생하게 된다. 이때, 정상적인 정맥의 판막은 혈액 역류를 방지하는 기능을 하는데, 정맥이 확장되거나 판막의 노화로 인한 변성이 진행되면 혈액 역류로 인한 증상이 발생된다(**그림 11-2**).

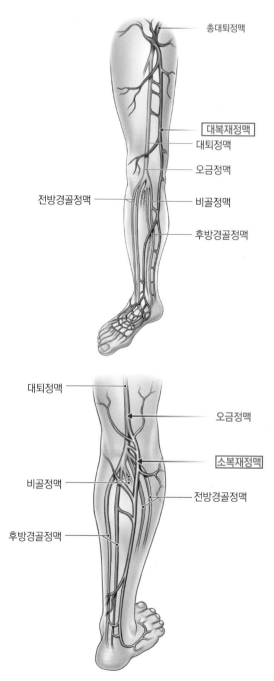

총대퇴정맥

대복재정맥
대퇴정맥
오금정맥
전방경골정맥
비골정맥
후방경골정맥

대퇴정맥
오금정맥
소복재정맥
비골정맥
전방경골정맥
후방경골정맥

■ 그림 11-1. 하지정맥의 해부학적 구조

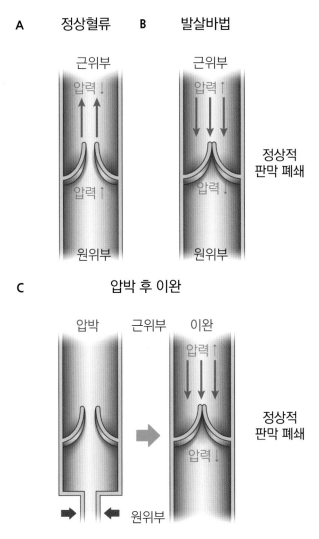

■ 그림 11-2. 정상적인 하지정맥의 혈류 시 판막의 개방(A), 발살바법 시 정상적인 판막 폐쇄 (B), 이완 시 정상적인 판막폐쇄(C)

III. 정맥 기능 초음파 검사의 적응증과 제한점

1) 일반적인 적응증은 아래와 같다.

 ① 정체 피부염(stasis dermatitis) 또는 색소침착

 ② 정맥 정체 궤양

③ 반복적인 부종

④ 장딴지와 발목의 반복되는 부종

⑤ 하지의 통증 또는 무거운 느낌

⑥ 정맥류의 출현

⑦ 정맥 파행

⑧ 정맥 기능 부전의 수술적 치료 전 검사

2) 초음파 검사의 금기는 없으나 다음과 같은 상황에서 검사에 제한이 있다.

① 비만

② 개방 배출이 있는 궤양

③ 하지의 심한 부종 또는 통증

④ 일정 시간 서 있는 자세를 취할 수 없을 때

IV. 검사의 준비사항

1) 옷 폭이 넓고, 짧은 바지를 입도록 하며, 기존 환자복 바지를 옆트임이 가능하도록 변형하여 검사 부위에 따른 하지의 노출이 용이하도록 한다.

2) 기본적으로 누운 자세와 선 자세에서 검사를 시행하는데 필요에 따라 침대 위에서 반좌위를 취하거나, 경사침대(tilting bed)를 이용한 검사를 시행할 수 있다. 선 자세에서는 검사하고자 하는 편측 하지를 이완시키고 반대편 하지에 체중을 싣도록 하여야 한다(그림 11-3). 때로는 하지정맥압 증가로 인한 기립성저혈압 또는 미주신경성 실신 등에 의해 환자가 어지럼증을 호소하며 주저앉는 경우가 종종 발생하기 때문에 지지대를 준비하는 것이 좋다. 발판이 있는 경사 침대를 사용할 경우에는 안정적으로 검사를 진행할 수 있다(그림 11-4).

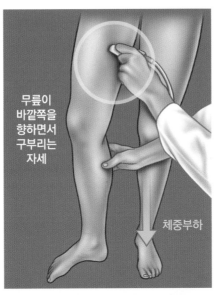

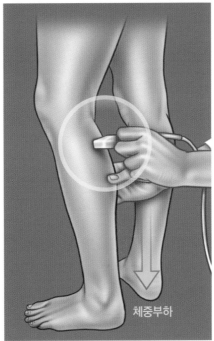

■ 그림 11-3. 기립 자세에서 복재정맥(saphenous vein)과 오금정맥(popliteal vein)의 초음파 검사. 검사하는 다리의 반대쪽 다리에 체중부하를 하도록 한다.

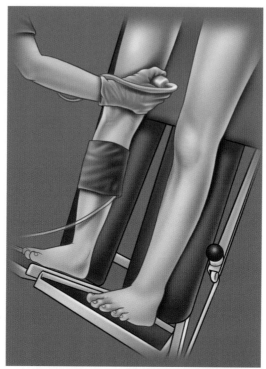

■ 그림 11-4. 발판이 있는 경사침대를 이용한 하지정맥기능 초음파

V. 초음파 영상 획득

1) 일반적으로 부종이 없는 하지에서는 10-15 MHz의 고주파 선형 탐촉자를 이용하여 검
   사를 시행할 수 있으며, 부종이 심하거나 비만할 경우에는 좀더 투과력이 강한 3.5-5
   MHz의 저주파 선형 또는 볼록형 탐촉자를 선택할 수 있다.
2) 고주파 선형 탐촉자는 선명한 화질을 획득할 수 있지만 투과력이 좋지 않아 비만이거나
   연부조직 부종이 있는 경우에 깊은정맥의 혈류를 확인하기 어렵다. 한편, 저주파 탐촉
   자는 투과력이 좋고 혈류의 검출 능력은 높으나 화질이 낮다. 따라서 목적과 환자의 상
   태에 따라 탐촉자와 기기 설정을 이상적으로 조절하여 사용하는 것이 좋다.
3) 정맥혈류는 속도가 느리기 때문에 검출강도를 충분히 높여 사용하는 것이 유리하다. 펄
   스반복주기(pulse repetition frequency, PRF)는 1500 Hz나 그 이하로 설정해야 하지
   만 만약 정맥 협착이나 동정맥루가 있는 경우 혈류속도가 증가하게 되므로 PRF를 높게
   설정한다.

VI. 검사 항목 및 방법

1) 검사 순서

(1) 우측 및 좌측 허벅지 안쪽의 대복재정맥 위치에서 단축으로 대복재정맥의 이면상 영상을 획득하고, 탐촉자를 직각으로 돌려 장축으로 이면상 영상을 획득한 뒤, 컬러 도플러를 이용하여 혈류를 확인한다(그림 11-5).

(2) 간헐파 도플러(Pulsed wave Doppler)를 이용하여 정맥혈류의 유속을 측정하고, 팽창-이완 커프를 대복재정맥의 원위부에 감고, 공기압을 이용하여 80 mmHg 압력으로 압박한 뒤 빠른 공기 방출을 유도하여 대복재정맥내 유의한 역류(500-1000 ms 이상)가 발생하는 지를 확인한다(그림 11-6, 7).

(3) 우측 및 좌측 종아리 뒤쪽의 소복재정맥 위치에서 단축으로 소복재정맥의 이면상 영상을 획득하고, 탐촉자를 직각으로 돌려 장축으로 이면상 영상을 획득한 뒤, 컬러 도플러를 이용하여 혈류를 확인한다(그림 11-8).

(4) 간헐파 도플러(Pulsed wave Doppler)를 이용하여 정맥혈류의 유속을 측정하고, 팽창-이완 커프를 소복재정맥의 원위부에 감고, 공기압을 이용하여 100 mmHg 압력으로 압박한 뒤 빠른 공기 방출을 유도하여 소복재정맥내 유의한 역류(500 ms 이상)가 발생하는지를 확인한다(그림 11-9).

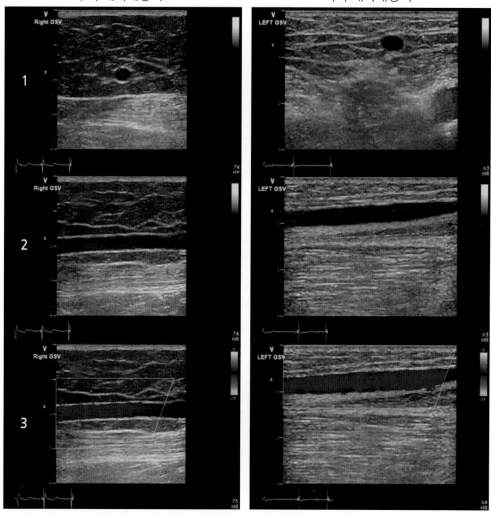

우측 대복재정맥   좌측 대복재정맥

■ 그림 11-5. 우측 및 좌측 대복재정맥의 2D 영상 및 칼라 도플러 - 정상소견

1. 허벅지 안쪽에서 혈관 주행의 직각 방향으로 대복재정맥의 단축영상을 획득한다.

2. 탐촉자를 90 ° 로 돌려 장축영상을 획득한다.

3. 컬러 도플러를 이용해서 혈류를 확인한다.

A

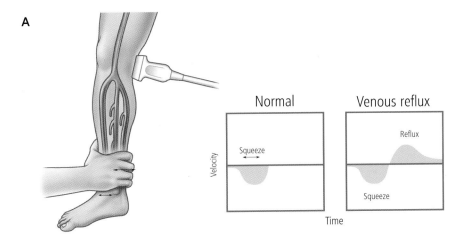

B

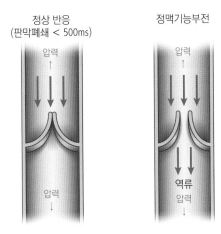

■ 그림 11-6. 계속

C

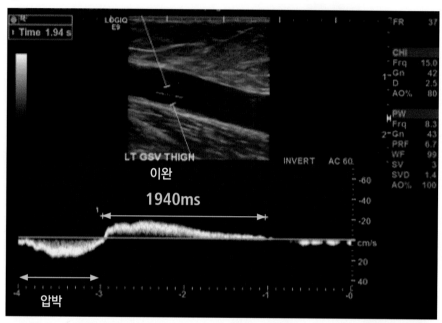

■ 그림 11-6. 판막 역류를 확인하기 위한 원위부 압박-이완법(A), 원위부 압박-이완법 시 대복재정맥에서 정상적인 반응과 정맥기능부전 시 역류의 발생 기전(B), 대복재정맥에서 원위부 압박-이완법 시 유의미한 역류의 도플러 영상

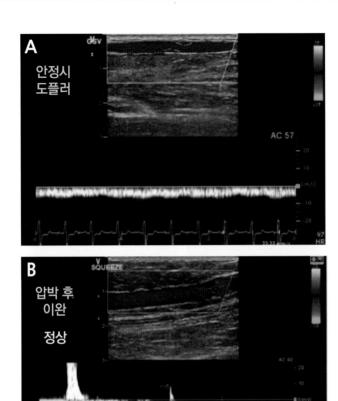

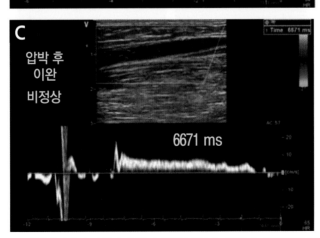

■ 그림 11-7. 대복재정맥의 간헐파 도플러 정상소견(A), 압박 후 이완했을 때 역류가 발생하지 않는 정상 소견(B), 압박 후 이완했을 때 유의한 역류가 발생하는 비정상 소견(C).

우측 소복재정맥　　　　　　　　　좌측 소복재정맥

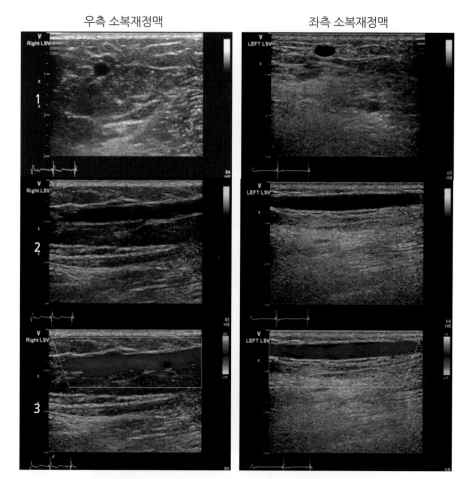

■ 그림 11-8. 우측 및 좌측 소복재정맥의 2D 영상 및 칼라 도플러 - 정상소견

1. 종아리 뒤쪽에 혈관 주행의 직각 방향으로 소복재정맥의 단축영상을 획득한다.

2. 탐촉자를 90 °로 돌려 장축영상을 획득한다.

3. 컬러 도플러를 이용해서 혈류를 확인한다.

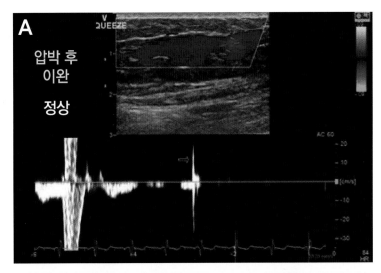

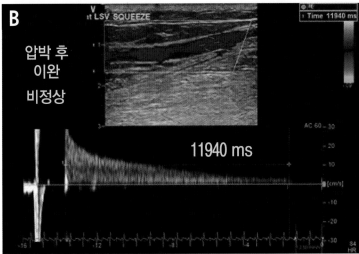

■ 그림 11-9. 소복재정맥 원위부 압박 후 이완했을 때 역류가 발생하지 않는
정상 소견(A), 압박 후 이완했을 때 유의한 역류가 발생하는 비정상 소견(B)

VII. 검사결과 보고 및 해석

1. 검사 결과에는 검사를 시행하는 목적을 표시하고, 좌측과 우측의 대복재정맥 및 소복재정맥의 역류 여부와 지속 시간을 표시한다(그림 11-10).

1. Competence

Location (vein)	Right	Left
Greater saphenous vein	No reflux	No reflux
Lesser saphenous vein	No reflux	No reflux

2. Comments

Venous insufficiency screening ← 검사 시행의 목적 : 혈관 역류의 스크리닝

- No significant venous insufficiency ← 검사의 최종 결론 : 정상
  (No reflux in both venous system)

■ 그림 11-10. 정상 정맥기능 초음파의 결과지 예시

2. 정맥기능부전이 있을 경우 추가적으로 깊은정맥의 정상적인 눌림 현상이 있는지 관찰하여 깊은정맥 혈전의 유무를 표시한다(눌리지 않을 경우 깊은정맥 혈전 가능성 있음)(**그림 11-11**).

1. Competence

Location (vein)	Right	Left
Greater saphenous vein	Reflux	Reflux
Lesser saphenous vein	Reflux	Reflux

2. Comments

- Venous insufficient evaluation: Leg edema ➞ 검사 시행의 목적 : 하지부종

1. Significant feflux in Lt. venous system
   – Rt. GSV (8415ms), Rt. LSV (9614ms)
   – Lt. GSV (5577ms), Lt. LSV (4299ms)
2. No evidence of DVT within this study

➞ 검사의 결과 요약
: 양측 대복재정맥과 소복재정맥의 역류
: 깊은정맥의 혈전의 소견 없음

Conclusion) Venous insufficiency at Rt. and Lt. venous system ➞ 검사의 최종 결론 : 정맥기능부전

그림 11-11. 비정상 정맥기능 초음파의 결과지 예시

VIII. 요약

1. 만성 정맥 기능저하는 정맥 기능의 장애, 즉 정맥내 판막의 변성 등으로 혈액의 역류가 생겨 충분한 양의 혈액을 심장으로 환류시키지 못하게 되어 발생한다.
2. 이중초음파(duplex ultrasound)에서는 정맥의 직경 측정 및 역류시간을 측정을 한다.
3. 느린 정맥 혈류 속도로 인하여 평상시에 역류의 정도는 잘 관찰되지 않으므로, 발살바법이나 원위부 압박-이완법을 사용하여 역류를 증강시키는 방법을 사용하며, 표재정맥의 경우 500 ms, 깊은정맥의 경우 1000 ms 이상 역류가 지속될 경우 의미 있는 하지 정맥기능부전으로 판단할 수 있다.

참고문헌

1. Gloviczki P, Comerota AJ, Dalsing MC, et al. The care of patients with varicose veins and associated chronic venous diseases: Clinical practice guidelines of the Society for Vascular Surgery and the American Venous Forum. J Vasc Surg 2011;53:2S-48S.
2. Khilnani NM, Min RJ. Imaging of Venous Insufficiency. Semin Intervent Radiol 2005;22:178-84.
3. Lower Extremity Venous Insufficiency Evaluation. The Society for Vascular Ultrasound 2010
4. Seshadri Raju, Peter Neglén. Chronic Venous Insufficiency and Varicose Veins. N Engl J Med 2009;360:2319-27.
5. Santler B, Goerge T. Chronic venous insufficiency - a review of pathophysiology, diagnosis, and treatment. J Dtsch Dermatol Ges 2017;15:538-56.
6. Woo-Hyung Kwun. Chronic venous insufficiency. Yeungnam University J Med 2007;24:S234-44.
7. Eberhardt RT, Raffetto JD. Chronic Venous Insufficiency. Circulation 2005;111:2398-409.

Index

Index

Index

영문

A

B

C